Ⓢ新潮新書

五木寛之

ITSUKI Hiroyuki

人間の覚悟

287

新潮社

覚悟するということ——序に代えて

そろそろ覚悟をきめなければならない。

最近、しきりにそんな切迫した思いがつよまってきた。

以前から、私はずっとそんな感じを心の中に抱いて、日をすごしてきていた。しかし、このところ、もう躊躇《ちゅうちょ》している時間はない、という気がする。

いよいよこの辺で覚悟するしかないな、と諦《あきら》める覚悟がさだまってきたのである。

「諦める」というのは、投げ出すことではないと私は考える。「諦める」は、「明《あき》らかに究《きわ》める」ことだ。はっきりと現実を見すえる。期待感や不安などに目をくもらせることなく、事実を真正面から受けとめることである。

では「諦める」ことで、いったい何が見えてくるのか。

「絶望の虚妄《きょもう》なることは、まさに希望と相同《あいおな》じい」

と、魯迅《ろじん》はいった。絶望も、希望も、ともに人間の期待感である。その二つから解き放たれた目だけが、「明らかに究《きわ》める」力をもつのだ。

しかし、私たち人間は、最後までそのどちらをも捨てきることはできない。はっきりいえば、

「諦めきれぬと諦める」

しかないのである。

とはいうものの、ギリギリの点まで、「明らかに究める」努力を捨てたくはない。希望にも、絶望にもくもらされることのない目で周囲を見わたせば、驚くことばかりだ。そこで、覚悟する、という決断が必要になってくるのである。

私たちは無意識のうちに何かに頼って生きている。

「寄らば大樹の陰《かげ》」

とは昔から耳になじんだ諺《ことわざ》だ。

しかし、もうそんなことを考えている段階ではない。私たちは、まさにいま覚悟をき

めなければならない地点にたっているのである。

一九四五年の夏、中学一年生だった私は、当時、平壌《へいじょう》とよばれていた街にいた。現在の北朝鮮の首都、ピョンヤンである。

平壌は美しい街だった。大同江《テドンガン》という大きな川が流れ、牡丹峰《モランボン》という緑の台地がそびえている。古代の楽浪郡《らくろう》の遺跡には、瓦の破片や土器などが転がっており、ポプラ並木を涼しい風がわたった。

美しい街だった、などというのは、私たち日本人の目から見た傲慢《ごうまん》な感傷にすぎない。

父は、九州の典型的な中山間部の出身だった。師範学校をでただけのキャリアをたよりに、植民地に職をもとめてやってきた貧しい農家の子である。

私たちは、植民地支配者の一員として、その街に住んでいたのだから。

昭和の時代、外地にでていった日本人たちの大部分は、はみだした人びとだったのではないか。内地とよばれた本国から、押しだされるようにしてこぼれ落ちていった余計者である。

父親もそのような連中の一人として、朝鮮半島に活路をもとめた下層知識人だった。

一九四五年、夏、日本が敗れた。戦争に負けたとき、旧植民地支配者が受ける苛烈《かれつ》な運命に、私たちはまったく無知だった。

そもそも日本が戦争に敗れる、ということすら想像もつかなかったのだ。

あの第二次世界大戦の末期、私たち日本国民の大部分は、最後まで日本が勝つと信じていた。

ふつうに新聞を読めば、戦局の不利はだれの目にもあきらかだったはずだ。それにもかかわらず、私たちには現実をまっすぐ見る力がなかったのである。米軍が沖縄までやってきているというのに、私たちは敗戦の予測さえついていなかった。

これがイギリスやフランスなど植民地経営に歴史のある国の国民なら、自国が敗れる前に、さっさと尻に帆《ほ》をかけて逃げ帰っていただろう。

しかし、私たち日本人にはまったく現実が見えていなかったのだ。当時、ラジオ放送は絶大な信頼感をもたれていたメディアだった。

敗戦後しばらく、ラジオは連日のように、

「治安は維持される。日本人市民はそのまま現地にとどまるように」

と、アナウンスしていた。私たちはそれを素直に受けとって、ソ連軍が進駐してくるのを、ただ呆然《ぼうぜん》と眺めていただけだった。

実際には敗戦の少し前から、高級軍人や官僚の家族たちは、平壌の駅から相当な荷物をたずさえて、続々と南下していたのである。

ソ連軍の戦闘部隊が進駐してからのしばらくは、口にはだせないような事態が日本人居留民をおそった。私の母も、その混乱のなかで残念な死に方をした。

私たちは二重に裏切られたのである。日本は必ず勝つといわれてそれを信じ、現地にとどまれといわれて脱出までの苛酷な日々を甘受した。

少年期のその体験にもかかわらず、いまだに私自身、いろんな権威に甘える気持ちが抜けきれないのだ。

愛国心は、だれにでもある。共産主義下のソ連体制を徹底的に批判しつづけたソルジェニーツィンも、異国に亡命した後でさえロシアを愛する感情を隠そうとはしなかった。どんな人でも、自分の母国を愛し、故郷を懐かしむ気持ちはあるものだ。しかし、国を愛するということと、国家を信用するということとは別である。

私はこの日本という国と、民族と、その文化を愛している。しかし、国が国民のために存在しているとは思わない。国が私たちを最後まで守ってくれるとも思わない。

国家は国民のために存在してほしい。だが、国家は国家のために存在しているのである。

私の覚悟したいことの一つはそういうことだ。

私たちは国家によって保護されている。パスポートを開いてみれば、そのことは一目瞭然だ。日本国の保証がなければ、私たちはこの国を出ることさえ不可能なのである。外国旅行中に旅券を盗まれたことがあった。再交付されるまでの不便と不安は、たとえようもなかった。つくづく日本国民であることの安心感を再確認したものである。

しかし、そのことと国に頼ることとは別問題である。国が最後まで私たちを守ってくれるなどとは思わないことだ。

国を愛し、国に保護されてはいるが、最後まで国が国民を守ってくれる、などと思ってはいけない。国に頼らない、という覚悟をきめる必要があるのである。

これはかなりきわどい覚悟である。しかし、二十一世紀とはすでに国民のために国家が存在するような時代ではない。実際に、パキスタンやアフガニスタン、パレスチナ、イスラエルなどの各地では、国境や国籍すら意味をもたない現実がくりひろげられている。

私たちは税金をはらっている。所得税や消費税だけが税金ではない。マイカーを一台購入するときに、さまざまな税金がかかることに驚かれた経験があるだろう。

それだけではない。ありとあらゆる生活のさまざまな面で、私たちは多大の税金をはらって生活している。その対価として国家があたえてくれているサービスがどれだけあるのか。

年金問題ひとつとってみても、全面的に国におまかせすることは無理だと納得できるだろう。

国民としての義務をはたしつつ、国によりかからない覚悟。最後のところで国は私たちを守ってはくれない、と「諦める」ことこそ、私たちがいま覚悟しなければならないことの一つだと思うのだ。

こんなふうに主張すれば、さしずめ何かを信じるのはやめよう、と提案しているように思われそうだ。

だが、そうではない。私は不信のすすめをのべているのではなく、むしろ逆の、人間の覚悟について語っているのである。

覚悟、という言葉を考えはじめると、私は反射的に一つのエピソードを思いうかべる。

それは、親鸞《しんらん》という中世の宗教家の残した言葉である。

親鸞は、平安時代の末から鎌倉期にかけて大きな思想を展開した画期的な人物だった。

彼はそれまでの鎮護《ちんご》国家の仏教、祈禱《きとう》儀礼の仏教、上流貴族の仏教の流れのなかで、それと百八十度ことなる信仰をきりひらくこととなるが、彼が師としてあおいだのは、法然《ほうねん》という念仏の先達《せんだつ》だった。

親鸞の法然への帰依《きえ》の姿勢は、生涯をつうじてゆるがなかった。

あるとき、遠方から訪ねてきた念仏の信仰者たちが、親鸞に念仏の極意《ごくい》をたずねる。

それに対して親鸞が答えた言葉を、『歎異抄《たんにしょう》』はこう伝えている。

「自分は師、法然のいわれるとおりに、そのまま信じてついていっているだけだ。ほかにむずかしい理由はない」

と、彼はいう。そして、こうつづけた。

「念仏は、まことに浄土《じょうど》に生《うま》るるたねにてやはんべるらん、また地獄におつべき業《ごう》にてやはんべるらん、総じてもつて存知《ぞんじ》せざるなり。たとひ法然聖人《ほうねんしょうにん》にすかされまゐらせて、念仏して地獄におちたりとも、さらに後悔すべからず候《そうろ》ふ。そのゆゑは、自余《じよ》の行《ぎょう》もはげみて仏《ぶつ》に成《な》るべかりける身が、念仏を申して地獄にもおちて候《そうら》はばこそ、すかされたてまつりてといふ後悔も候《そうら》はめ、いづれの行《ぎょう》もおよびがたき身なれば、とても地獄は一定《いちじょう》すみかぞかし」

自分の信心に、特別な極意などはない。師である法然上人のいわれたとおりに信じて、ついていっているだけだ、と、いうのである。その後につづく言葉は、おそらく目にした人は絶対に忘れることのできない文句だろう。

自分が法然の言葉を信じてついていき、もし師に欺《あざむ》かれて地獄におちたとしても、自分は決して後悔したりはしない、と、親鸞は断言するのだ。

「地獄は一定すみかぞかし」

すなわち、自分がいまいるのは、悟りすました解脱《げだつ》の世界ではなく、常に人間としての生きる悩みにとりかこまれた煩悩《ぼんのう》の地獄である、というのが親鸞の覚悟である。

念仏をすれば地獄からすくわれるのだ、と親鸞はいわない。自分にとって、

「地獄は一定すみかぞかし」

だから念仏を信じつづけるのだ、師、法然を信じるのだ、と彼はいう。地獄は一定、と覚悟したところから、親鸞の信仰は出発するのである。

地獄は一定。はじめてこの言葉にふれたとき、その覚悟のたしかさと深さに、震撼《しんかん》させられる思いをおぼえたものだった。

自分はわが師、法然上人の教えをそのまま信じてついていっているだけだ、というのは、決して師に頼っているわけではないのである。

頼らない、ということは、信じない、ということではない。自分の覚悟があっての信頼なのだ。

信じないことが安易なニヒリズムではないというのは、そういうことである。国に頼らない覚悟、そこからそれまでと全然ちがう新しい国への確信が生まれてくるのではあるまいか。

お金を銀行にあずけて頼りにしていられる時代ではない。年金もおまかせでもらえるわけではない。

子供の教育は学校がしてくれる、などと呑気《のんき》なことを考えているわけにはいかない。

祖父が孫を殺し、高齢者さえもが無差別殺人に走る時代である。家族、家庭、夫婦、人脈、すべてに対して頼る気持ちを捨てる覚悟がいるだろう。

高齢者に優しい社会などない、と覚悟すべきだ。老人は若者に嫌われるものだ、と覚悟して、そこから共存の道をさぐるしかないのである。

健康、などは幻想にすぎないと「諦め」よう。プロの医師といえども、すべておまかせではだめだ。入院した患者は囚人《しゅうじん》である、と覚悟する必要がある。

熱愛もいずれはさめる。さめた後に大事なものが残るような恋愛を考えよう。

遺産をのこせば必ず争いがおきるものだと覚悟すべきだろう。友情もお金がからむといびつになる。

無償の善意はなかなか人に伝わらないものだ。むしろ警戒されるときもある。隠れた善行も、それに対する善いむくいなど期待しないほうがいい。善意が悪意でむくわれることのほうが多いのが世の中だ。

ひところプラス思考がさんざんもてはやされた時代があった。しかし、笑顔で、希望をもって生きれば病気にならないわけではない。

ブッダは死後の世界や、霊の世界のことを多く語らなかった。この苦しみ多き現実を、どのように生き抜けばよいかを教えた人である。

親鸞も同じように、いま生きることを教えた人だった。死んだら極楽浄土へ往く、とだけ考えられがちだが、親鸞もまた、いま現在をどのように充実して生きるかを語りつづけた人だった。

「自然法爾《じねんほうに》」とならぶ親鸞の大きな思想の一つに、

「往相還相《おうそうげんそう》」

という考えがある。

これは浄土に往《い》った人が、ふたたびこの地にもどってきて苦しむ人びとをたすける、という考え方として語られるが、私はちがう受けとり方をしている。

死んで浄土に生まれた人が、またこの世界に還《かえ》ってくるというのではない。「往相」とは、この世でいったん死ぬ、ということだ。そして「還相」とは、浄土から帰ってくることではなく、生まれかわることをいうのだと考える。

つまり、これまでの人生をいっぺん捨てる、そして新しい歓《よろこ》びにみちた人生を再スタートする。いったんリセットして生まれかわったように生き生きした人生を獲得することが「往相還相」のほんとうの意味だろう。

これまでの自分をいったん捨てさったところから、新しい生活がはじまる。生きたままでの再生こそ親鸞のめざした生活なのではあるまいか。

そのためにこそ、私たちにはさまざまな覚悟が必要なのだ。

人間の覚悟

目次

覚悟するということ――序に代えて　3

第一章　時代を見すえる　19
時代は地獄に近づいている。資本主義が断末魔の叫びをあげ、あらゆることが下降していくなか、「命の実感」が薄らいでいる。

第二章　人生は憂鬱である　57
どこの国でも、いつの時代であっても、だれの内にも棲みつづけているもの。人が生まれながらに抱えた「悲苦」を見つめなおす。

第三章　下山の哲学を持つ　75
権利とは、何かを保障されることではない。安心・安全はありえない。下りゆく現代、自分を見つめる「哲学」が必要ではないか。

第四章　日本人に洋魂は持てない　98
神はあるのか。罪とは何か——。その答えは、洋の東西で根本的にちがう。二十一世紀にこそ生かされるべき日本人の心性とは。

第五章　他力の風にまかせること　118
人間は、生と死のあいだで引き裂かれた存在である。不条理で、ままならない日々を生きるために、「他力」という意味を知る。

第六章　老いとは熟成である　132
アンチ・エイジングはあり得ない。だが、老いることは人間が熟成してゆく過程なのだ。「玄なる世界」で豊かに変わる関係性を知る。

最終章　人間の覚悟　155
いかに生きるか、ではなく、生きて在ること。そのことにこそ価値がある。その思いが、私たちの唯一にして不滅の光明である。

第一章　時代を見すえる

地獄の門がいま開く

闇が深さを増してきました。

時代は「地獄」へ向かって、劇的に近づきつつあるようです。母親の子殺し、無差別殺人はすでに衝撃的な事件ではありません。

少し前の朝日新聞の一面のトップに、自殺者が十年連続で三万人を超えたという記事が載りました。その数自体もさることながら、自殺が全国紙の一面にでてくるというのはじつに象徴的なことだと思います。

平成三年に年間一万九千人台だった自殺者が二万人を超えたのがその翌年、それでもせいぜい社会面のベタ記事扱いでした。その当時から私は、「未曾有《みぞう》の自殺の時代がくる」とことあるごとに発言してきましたが、マスコミからは「もうちょっと明るい話題をお願いできませんか」といわれて、ぜんぜん記事にもならなかったのです。

それでも繰り返し、悩み多き時代が来る、不安だ、鬱だといいつづけているうちに、「オオカミ爺《じい》さんみたいですね」と揶揄《やゆ》されるしまつでした。

それから十五年以上がたち、平成十年に三万人の大台を超えたころから少しずつメディアの姿勢が変わり、政府が自殺対策基本法を立ちあげたと思ったら、ついに朝日の一面トップを自殺の記事がかざりました。

いままでは「くるぞ、くるぞ」であったのが、今度は「本当にきてしまった」。紙一重のようでこのちがいは大きい。この国は平和で裕福で、この先もそうだろうという幻想はもはや捨てなければならない時がきた。

私は敗戦後六十数年間、新聞を読んできましたが、いまほど残忍《ざんにん》で目をおおいたくなるような犯罪が社会面を賑《にぎ》わせたことはかつてありません。

明治時代の「毒婦お伝」や昭和の阿部定《あべさだ》、平成の酒鬼薔薇《さかきばら》少年など世間を騒がせる事件はいつの時代にもありますが、しかし、それは異常な事件だからこそ人びとの伝説となり世間が恐れおののくのであって、どんなに凶悪な事件でも十日もすれば忘れ去られるような現在とはまったく様相がちがいます。

これほど人間の命、生命というものに対する軽さがドラスティックに進んでいる時代はないのではないか。最近、話題の『蟹工船』の冒頭の一文、「おい、地獄さ行《え》ぐんで！」になぞらえるなら、これからは地獄へ行くのだと覚悟しなくてはなりません。

『蟹工船』や『下流社会』『格差社会』といった〝貧困本〟がブームなのは、経済的な理由だけではないはずです。親の子殺しや子の親殺し、無差別殺人が毎日のように報じられ、それを受けとる側は心を麻痺《まひ》させたように沈黙している。

みなが無言で崖《がけ》っぷちから谷底を覗《のぞ》いているような気配がある。

地獄の入り口の門が、ギギギ、と音を立てて開き始めているような実感がある。

生き物の予感、民衆の察知力というのは、じつはすごいものがあります。まもなく地獄がやってくるという予感が、野ネズミの感覚のように、人間のあいだに広がっているのかもしれません。それが社会全体に満ちてきて、その中でも特に敏感な小動物が発狂するように、自損行為や他損行為が激増しているのではないか。

しかし、ずっと昔からいまにいたるも、人間の世の中には変なものや、おかしなことは無限にあります。人の世とは不条理なものなのですから、私はそれについて悲憤慷慨《ひふんこうがい》する気はまったくないし、社会に対してあれが悪いとか、なぜこうしないのかと文句をいうつもりもありません。

ただ、自分自身が「覚悟」することはできるのではないか。消極的で受け身の姿勢と思われるかもしれませんが、人の世とはこういうものだ、人間とはそういうものだ、そう覚悟することは、だれにでも可能だと思うのです。

「覚悟」という言葉はもともと仏教用語で、辞書には「迷いを去り、道理をさとること」とあります。他に、「危険や困難を予想して、その心構えをすること」、そして「あきらめること、観念すること」があります。

冒頭でふれたように、あきらめる、という言葉は私の意見では、「明《あき》らかに究《きわ》める」こと。物事をはっきりと究め、現実はこうなのだと覚悟することでしょう。

言いかえれば、世の中のあらゆることは流転《るてん》する。人間は老いて死んでいく。そのことを、逃げずに真正面から見つめることです。世間は「あきらめない」ことを賞賛しますが、「あきらめる」は決して弱々しい受け身の姿勢ではなく、正しい覚悟をきめる上では不可欠なのだと思います。

私は、あの偉人はこう言い、この大家はああ言った、と他人の言葉に拠《よ》って立つのは苦手です。この国では、ヨーロッパの哲学者や思想家の言葉を論拠とする評論のパターンがありますが、私は「自分はこう思う」ということを言いつづけるしかありません。

この本では、思いつくままに、率直に、人間にとって必要な覚悟とは何か、ということを語ってみます。

デカルトは「我思う、ゆえに我在《あ》り」と言ったそうですが、今はそういう時代ではありません。むしろふたたび、「我在り、ゆえに我思う」（トマス・アクィナス）という時がきた、と考えています。

まず「生きる」こと。どんなにみっともなくても、「生きつづけ」「存在する」こと。みずから命を捨てたり、他人の命をうばわないこと。

それを覚悟のひとつとすれば、「人間はどう生きるべきか」が問題なのではなく、「人間は、今こうして生きていることにこそ価値がある」、と、そう思いつづけているのです。

資本主義という恐竜の終末劇

最近、マルクスの名前をしばしば耳にするようになりました。あれ？　と思うようなところで引用されていたり、難解な『資本論』までが読まれたりしている。

学生運動が盛んだった六、七〇年代ならともかく、私のような世代から見ると、とうの昔に死んだ人が突如としてこの世に甦《よみがえ》ったような感じです。その一方で、ドストエフスキーの『カラマーゾフの兄弟』や『罪と罰』などがよく読まれているというのは、いったいどういうことなのでしょう。

なぜいまになってマルクスやドストエフスキーなのか。私が思うに、結局、二十世紀という時代は、マルクス主義が敗北して資本主義が決定的な勝利をおさめたのではなかった。むしろ、マルクスがいった資本主義の論理が、貫徹《かんてつ》してしまった時代なのです。

つまり、ソビエト連邦が崩壊して解体されると同時に、低賃金で働かされる者とそれによって法外な利益を得る資本家、という労働と資本の構図が、世界の標準的な姿となった。ある意味では、マルクスの予言が見事に的中してしまったといっていい。

現代は、国際的に資本主義がグローバル・スタンダードとなっている。共産主義中国までもが資本主義化して、いよいよ爛熟《らんじゅく》期に入ったといわれます。しかし、じつのところ私には、資本主義という巨大な恐竜が終焉《しゅうえん》の時期を迎え、断末魔の叫びをあげながらのたうち回っているようにしか見えません。

その過程では、緑の森の樹木や雑草、小さな動物たちもみな根こそぎ蹂躙《じゅうりん》されてしまうでしょう。そういう無残な終末劇の幕間《まくあい》に、予言者マルクスがひょいと顔をだしてくる。

六〇年前後、三井三池争議などは、総資本vs総労働の対決といわれたものでした。そんな時代はもうとっくに通り過ぎたと思っていたのに、気がついたら労働力はバーゲン品みたいに安く買い叩かれる時代になってしまいました。

そんな社会の構図の変化を表しているもののひとつが犯罪です。少し前までの犯罪というのは、怨恨《えんこん》や貧困、社会的差別や愛憎のもつれなど、わりとはっきりした原因がありました。しかし、現代では多くが「形而上《けいじじょう》的な犯罪」にかかわってしまった。

形而上的な犯罪というのは、貧しい人に生活保護を出すとか、恵まれない子どもには学資を補助するなど、形而下の対処によって解決できるようなものではありません。もっと人間の心の奥深くに根ざしている事件です。

十九世紀のロシアで、ドストエフスキーは「もし神がいないとすれば、人はどれだけの悪をおこなえるのか」という問題を執拗に追究していました。もちろんそれは、神はあるという前提にたっての問いかけです。

ところが、神も仏も空虚な上に、自分という存在さえも感じられない現代社会です。そこにおける犯罪はひたすら無軌道かつ残忍で、他者を殺傷していながら、どこか自損行為に近いところがありはしないか。

自分を「透明な存在」と記した神戸の酒鬼薔薇少年でさえ、かすかに、ではあっても自分という存在を感じていたように思います。しかし、自殺と表裏一体を成しているような、神なき社会の形而上的な犯罪というのが最も厄介《やっかい》なのです。

秋葉原では七人もの人を殺害する通り魔事件が起きました。犯人は、「だれでもいいから人を殺したかった」と供述したといいます。まったく同じ動機を口にする模倣犯もつづいている。これからもこういった動機なき無差別殺人は、つづくでしょう。

この犯罪のすがたは、まさしくドストエフスキー的です。マルクスは社会構造に対する問題提起として人間を考えました。ドストエフスキーは人間の魂の問題としてそれを追求している。

私たちがすでに通り抜けてきたと思っていた問題が、あらためて世の中に突出してきたのです。そう考えると、おおげさに聞えるかもしれませんが、文明、神、罪といったものに対して、人間がいよいよ最後の決着をつけるときがきたのではないかという気がしてならないのです。

統計や数字より自分の実感

はじめにふれたように、一年間の自殺者が三万人を超え、一日に百人近い人が自殺する。そういう国が、平和で、皆そこそこ裕福だといえるわけがない。

しかも数字や統計というのはいくらでも操作できますから、実際には当局がすり合わせて、かなり控えめな数字を出しているはずです。たとえば交通事故死として発表される数字は、事故発生から二十四時間以内の死亡者数だそうです。これを発生してから一ヶ月あるいは一年後まで含めると、大きくかわってくるでしょう。

ガス自殺も遺族が遺書を公表すれば自殺として扱われますが、遺書がなければガスによる事故死という扱いになることもあります。

最近は私の身近なところでも、硫化水素ガスによる自殺が二件ありました。また別の友人は、真夜中の東名高速を時速二百キロ以上でぶっ飛ばして死のうとしたものの、衝突する前に警察に捕まってしまったことがあるという。

こうした統計上の操作も考えると、私は、年間五万人ぐらいの自殺者がでているのではないかと見ています。さらに言うなら、一般に、自殺未遂者は自殺者の約十倍はいるといわれますから、一年間で五十万人もの人が自ら死を企《くわだ》てていることになる。

凶悪な犯罪は終戦直後の方が多かった、と指摘する統計学者がいますが、私はほとんど実感がありません。経済の動向にしてもそうです。景気がいいとか、いま踊り場にいるとか、日銀や政府が発表する指数やコメント、あるいは新聞雑誌の経済記事などを読んで考えてみてもぜんぜんピンときません。

タクシーの運転手さんが「運賃は上がったけど売上げは伸びていない」と言い、サラリーマンが「給料が上がらない」と嘆き、スーパーで買い物をする主婦は「物が高くなった」と口をそろえて言う。それだけわが身に実感があるならば、実際に景気は悪くなっているにちがいありません。

統計はさまざまな形で数字の扱い方がきめられていますから、数字データと自分の実感とが相反する場合には、自分の実感の方を信じるべきです。あるいは自分の周りで起きているものを実感として感じとることです。

統計とか数字だとか、世の中の尺度といわれているものを信用しないというのも一つの覚悟です。むしろそういう自分なりの感覚的な選択なり、判断をしなければならない時代でもあると思います。

国や政府、マスコミが揃って言うことなど信用できない。

私がそう思う理由は後で書きますが、立てつづけに起きた食品偽装にしても、お店を槍玉《やりだま》にあげるより、品質のいいものはそんなに安く作れるわけがないと考えるのが人の世の常識であって、業界では自明の理として昔から知られていたことにすぎません。

ですから、自分と身の周りで起きていることをよく見て、「明らかに究め」、それを頼りにする覚悟をきめるしかないのです。

「命が安い」時代の新たな差別

いまは、戦中から戦後を通じても、命そのものが最も「安い」時代に入ったようです。

人間は、サラ金苦や病気に追い詰められてどんなに苦しい状態に置かれても、「かけがえのないこの命」という感覚がどこかに残っているかぎり、なかなか自殺はできません。

もう死ぬしかない、と思うことと、本当に死んでしまうことの違いは相当に大きいのです。そして、自分の命の実感が持てない、というのはじつに深刻な状況です。

自分の命の実感がないからこそ死を選ぶ人が多くなるわけですが、それは裏を返せば、自分の命の実感がなければ、他人の命への実感は持ちようがないということです。かけがえのないこの命、絶対に奪えない命と思っていればこそ他人の命も尊重できるのです。

自分の命が安い人にとっては、他者の命も同じで安易に奪うことができる。自殺者が増えるということと、他人の生命を損なう凶悪事件が多発するのは表裏一体なのです。

人の命が簡単に失われ、また奪われる社会では、急速に命のデフレーションが進みます。命がどんどん安くなれば、人間の雇用と労働力はどこまでも安く買い叩けることになる。

秋葉原での無差別殺人事件は、フリーターや派遣社員のような不安定な職業についている人たちに、大きな心の傷をあたえたにちがいありません。報道では格差社会やワーキング・プアが槍玉にあげられましたが、世の中には格差は昔からあると考えるのが常識です。

いつの時代でも人間の世に格差はついてまわります。しかし、現代においてはそれが固定化し、世襲化されていくことが問題なのです。

厳然としてある格差社会、それはいま持てる者と持たざる者があるだけでなく、やがて固定され世襲されると考えなければなりません。

いい家の子は小さい頃から家庭教師をつけて東大に入る。名門、学歴というのは生涯影響しますから、いい仕事について、いい家の子同士が結婚する。その子どもたちもまたいい教育を受けられる――。一方で、貧しい家の子どもはろくな教育を受けられないから、学歴社会の中で良いポストに就けない。その子どももまた同じように貧困の中で育つしかない。

格差がいけないのではない。上流と下流の格差がどんどん拡大し、定着してしまうことが、格差の悪なのです。

韓国などではすでに顕著だそうですが、かつてのソ連のノーメンクラトゥーラ（共産貴族）みたいに、社会の中で世襲されていく新たな階級制度が形成されつつある。

昭和の時代は、田中角栄のように貧しい農家の出で小学校しかでていなくても、一国のトップに這《は》い上ってくることが可能でした。しかし、これから先は、いったん固定した格差はなかなか崩れなくなるにちがいない。政治の世界ではすでにして世襲があたりまえで、それがスポーツから最近では文化の世界にまで及んでしまっています。

昔は、例えば戦時中などは、軍隊がある意味で「社会的煙突《えんとつ》」としてガス抜きの役割を果たしていた面もありました。軍隊という組織にさまざまな問題があることは事実としても、それを抜きにすれば、金持ちの子弟も貧乏人の子どもも同じ内務班で兵卒として殴られるように、大なり小なり階級が攪拌《かくはん》されるということがあったのです。

アメリカではグリーンカードを持てない人や経済的な困窮者などの社会的弱者が、なんとかその状況から脱するべく次々とイラクの前線へ向かいました。

マルクスの言った「ブルジョア階級とプロレタリア階級」という規定はいまさら古風かもしれませんが、いったん組み込まれてしまったら最後、もう絶対に抜けだすことができない格差社会、完全な階級社会が作られつつあるのがいまだともいえます。

この国では、部落差別は戦後多くの人の努力と運動によって、ある程度にまでは解消されてきました。人の心の中に残っている差別感情というものはどうにもならないとしても、少なくともそれを是正する方向で、政府も宗教団体もみなが悩みつつ進んできました。それにもかかわらず、二十一世紀に入って新しい差別が生まれつつある。年間三万数千人にのぼる自殺者の遺族にも大きな差別が生まれています。

「性的プロレタリアート」が増えていく

四十年近く前のことですが、『情況』という雑誌で寺山修司さんと対談した際、インドやタイのあちこちで見られる最底辺の性の話になりました。

そこは、本当に貧しい人たちが一回数百円程度で一瞬の性欲を解消する場所である。汚れたむしろで区切られただけの、最低の売春窟《ばいしゅんくつ》です。恋人を作りたくても、結婚したくてもできずに一生を終えていくそんな人たちのことを、寺山さんは「性的プロレタリアート」と呼んでいました。

秋葉原で事件を起こしたような青年は、経済的プロレタリアートであると同時に、性的プロレタリアートとなる可能性もあるのではないか。

『蟹工船』の時代は労働条件の劣悪さが問題でしたが、これからの日本では、恋人を持つ、結婚する、家庭を持つという、いままではごく普通だった人生の階段を上がれない人たちがたくさん出てくるはずです。

集団でフィリピン辺りへ嫁探しに行く農村もありますが、それでも何人かグループで来てくれれば、わりとうまく地域に溶け込むこともあるそうです。

しかし、日本では経済的に自立する女性が増え、家庭を持つのは面倒なだけで適当にアバンチュールを楽しんでいれば充分、という女性もふえてきています。やがては「おひとり様の老後」へ向けて生活設計を考える人が目立って増えてくるでしょう。

結婚相談所の人に聞いてみても、ほとんどの女性は年収六百万円以上を要求し、家は都心の便利な高層マンションがいい、というらしい。実際に五十万円以上の給料をもらっているキャリアのある女性がいる一方、そこへ来る男性は年収三百万円以下ばかりで、女性の要求は高くて男性の現実は低いらしい。これではかみ合うわけがありません。

比率としてもますます女性は少なくなっていくはずです。男は年ごろになれば当たり前に日本人の嫁をもらい、結婚して家庭をもち、子どもを育てる予定コースというのは、もはや幻想と考えた方がいいと思います。

なぜ『蟹工船』が読まれるか

私は、八十年前に書かれたプロレタリア文学『蟹工船』がベストセラーになるのは、必ずしもワーキング・プアの共感を得ているためだとは考えません。

おそらく書店で「貧困コーナー」にむらがるのは、ホームレスやネットカフェ難民のようなその日の食とねぐらにも困る人たちではなく、やがて自分たちもその下流社会へ落ち込むのではないか、と不安を抱えている層なのだと思います。

歴史を振り返ると、いまの時代は、十五世紀後半に応仁の乱が起きる前に似ています。政情が不安で、地震も疫病も流行し、寛正《かんしょう》の大飢饉では、京都だけで餓死者が八万人を超え、鴨《かも》の河原にはゴミのように死体が積みあげられました。

他人から略奪して食べるのはあたりまえで、死んだ人までむさぼり食うようなその時代は、人の命がとことん軽く扱われていた。蓮如《れんにょ》が活躍したのは、そういう時代です。

さらにさかのぼれば、十二、三世紀の平安末期から鎌倉時代へかけての社会の混乱期にもよく似ています。貧しい庶民も、藤原道長のような大権力者でも、夜中にうなされるほど恐れたのは、死んで地獄へ落ちることでした。

その頃、京には白河天皇が八角九重《ここのえ》の高さ八十メートルもの巨大な塔を建て、平清盛は三十三間堂に千体もの千手観音像を寄贈するなど、無数の寺と仏像が雨後の竹の子のように作られました。これらは善根《ぜんこん》をおこなう「作善《さぜん》」という行為によって、地獄行きを逃れようという権力者たちの願いのかたちだったわけです。

当時の一大メディアだった絵巻の「地獄草紙」では、血の池地獄、焦熱地獄、針山地獄など、ありとあらゆる地獄が詳細に描かれています。それを見た大衆は、「生きていても食うに食えない地獄のような生活なのに、死んでもまたこのような地獄へ行かなければならない。六道《ろくどう》の迷界をへめぐっても、永遠に地獄は終わらないのだ」と恐れおののきました。

だからこそ、浄土往生を説く法然が登場するのです。念仏を唱えれば地獄へ行かずに済む、と言って民衆の心をつかんだのでした。

「おい、地獄さ行《え》ぐんだで!」という『蟹工船』の冒頭のセリフは、いまの時代の心象風景と重なり、「地獄」が人々の心に深く焼きついていた時代と同じように、その言葉が意識の中へ入りこむのだろうと思います。

地獄は見えるが、見ていない

しかしながら当時とちがうのは、そこで何か宗教でも信じて極楽へ行きたいという人は、まずいないことでしょう。神も仏も知ったことか、というぐらいに無関心で、この世でエアコンがあれば暑さ寒さも関係ない、音楽はｉＰｏｄで何でも聴ける、極楽浄土で蓮《はす》の葉に座ってもしかたないだろう、という感じで、だれも浄土や天国などに憧れなくなりました。

銀座のレストランでは超高価なワインを空けながら食事に百万単位の金を使う客がお

り、成田空港に行くと旅行客でごった返している。国内線はスーパーシートから埋まっていく。新幹線もグリーン車におおぜい人が乗っているのは不思議でもあり、少々気味が悪い気がします。

労働者の賃金が上がらないなら少しでも貯金するのが普通なのに、ミシュランで星がついた店は予約が一杯だという。若いOLたちはコンサートや歌舞伎やオペラ、海外旅行に合コンと、日々何かのイベントを楽しんでいるようにも見えます。ブラジルのリオのカーニバルが熱狂的なのは、年に一度のイベントで、そのために普段から節約して我慢もするからですが、日本では、年中お祭りさわぎがつづいている。

表面的には意識していない抑圧感や、将来への不安をそうやって解放しているということもあるでしょう。

しかし、生活保護世帯が百万を超え、給食費が払えない家庭がたくさんある一方で、ワイン一本が数万円するようなレストランが繁盛するのはいったい何だろうかと考えると、社会構造が、以前のようなある意味で安定したピラミッド型ではなく、富裕層と貧困層のあいだにいた分厚い中間層がへりつつあるという感じがする。上に上がっていく層がいる一方で、どんどん下へ落ちたりしているということかもしれません。

「格差地獄」「労働地獄」「貧困地獄」「介護地獄」——、他にいくらでも挙げられますが、日本の社会というものにメリメリと大きな亀裂が走り、その奥はすでに見えてきています。かつてのような緑の森や水をたたえた自然もなくなって、荒涼たる砂漠が広がるアフガニスタンの荒野のような世の中が、やがて目の前に出現してくるにちがいないと予感する。しかし、怖くてそれを直視できずにいるのです。

教育もだめ、医療もだめ、年金もだめ、国を守る防衛省でも不祥事が起きる。官僚のモラルは崩壊し、企業では、利益優先の前で人間の世界が草刈場《くさかりば》になっている。宗教の世界はオウム真理教の事件以降、まったく権威が失墜してしまっている。普通の家庭で育ったはずの子が、とてつもなく残忍な犯罪を起こす。人はそれを右から左へ忘れてしまう。

これも挙げればきりがないほどで、日本の社会はついにここまできたのかという思いがします。

こういう世の中で、鬱にもならず明朗活発《めいろうかっぱつ》に生きていられる方が人間としてどうかしているのではないか、とさえ思われてくる。

地獄の入り口の門が、きしみながら開きはじめ、間もなくはっきりとした地獄が見えてくる。しかし、いくらそう言われても、人は事実を実感できないものなのです。

日米開戦前、『日米もし戦わば』みたいな日米戦争をシミュレーションした本は、トンデモ本扱いでした。しかし、結局、本当にそうなりました。それどころか、ミッドウェイ海戦で敗退し、ガダルカナル島を撤退し、アッツ島で玉砕《ぎょくさい》した時点で日本軍の負けは見えていたのに、米軍が沖縄に上陸し、空襲で東京が焦土と化し、長崎と広島に原爆が投下されても、まだ大丈夫だと多くの日本人は思っていたのですから異常です。

玉音《ぎょくおん》放送の前日、翌日大事な発表があると聞いた私の父親は、これは日本がソ連と同盟して米英に当たるということで、これで大丈夫、必ず神風が吹くのだといっていました。

敗戦は、すでに早くから見えていたと後から言う人がいます。しかし、見えていたなら、何でもっと大きな声で知らせないのかと思うと腹が立ちます。一部の情報通や新聞社は、かなり前からポツダム宣言を受諾《じゅだく》すると知っていたようですが、国民の多くはみな天皇の玉音放送で泣き崩れたのです。

人は見えるものではなく、見たいものを見るのだ、といいます。人間に見えている世界には、いつも期待が作用しています。私の世代は、地獄のような焼跡にも闇市の活気を思い出すせいか、妙に期待を込めて地獄を想像するのかもしれません。しかし、高級な知識人たちは、いま地獄の門は開いた、とはいいません。

いずれにせよ、そうなってほしくないという期待と一緒に現実を受けとめるから、本当の地獄はまだ見えないのでしょうし、煮えたぎる地獄の釜の中に放り込まれるその時まで、わからないのではないでしょうか。

躁状態だった戦後五十年

敗戦後の五十年間、この国はある種の躁状態にありました。それはけっして悪いことばかりではなく、だれしも少し血圧を上げてハイにならないと出来ないときというのがあります。私も時々ですがテレビに出るときは、意識的にテンションを上げないととても周りについていけません。

戦後の日本には、「平和国家の建設」「民主主義」のような大きな目標がありました。そして、「技術立国」「経済大国」「男女同権」など、明るい目標が「坂の上の雲」のように空高くたなびいていました。

焼跡と闇市。ドラム缶で湯を沸かしてご近所が交代で風呂に入るような貧しい生活の中でも、日本人の目は光りかがやいていたという実感があります。

黒澤明監督の映画『野良犬』では、闇市をさまよう特攻帰りのヤクザがギラギラと目を光らせ、土門拳さんの写真集『筑豊のこどもたち』を開いてみても、炭鉱住宅で暮らす裸足の少年たちの目は、貧しい生活の中でもキラキラとかがやいていました。

私が高校一年の頃に観た映画『青い山脈』の主題歌は、老いも若きもみな一緒になって「古い上衣《うわぎ》よさようなら　さみしい夢よさようなら」「雨にぬれてる焼けあとの　名も無い花もふり仰ぐ」と歌ったものでした。

『山のかなたに』という映画の主題歌は、上田敏《びん》の名訳で知られる「山の彼方《あなた》の空遠く、幸い住むと人のいう」というカール・ブッセの詩のイメージと重なり、大ヒットしました。

強盗がいた。追い剝《は》ぎもいた。売春もあった。生きていくためにしかたのない悲劇はいくらでもありました。それでも、街灯の下にたむろするパンパンと呼ばれた街の娼婦たちが、「こんな女に誰がした」と居直って歌う。米兵たちに「Ｈｅｙ！」と臆せずに呼びかけるような彼女らの声にすら、人が生きよう、生きぬくのだ、というエネルギーが感じられました。

朝鮮戦争やベトナム戦争による特需など、国外の騒乱が追い風になったこともあるでしょう。しかし、この国には皆で豊かになるのだという一体感がありました。水泳の古橋廣之進《ひろのしん》が次々世界記録を打ち立てる。ボクシングの白井義男が世界チャンピオンになった試合や、力道山の空手チョップ、みんなテレビにかじりついて見ていたものです。

やがて新幹線が誕生し、大阪まで列車で十二時間あまりかかったのが一挙に四時間に短縮されます。当時、私はソングライターもしていて、歌手の若山彰さんに「弾丸列車」という歌を書いた記憶があります。

東名高速が開通したときには、『文藝春秋』に「東名ハイウェイ幻想」というルポルタージュを書きました。文春が用意した黒塗りのハイヤーの運転手さんが、「いま、百キロ出ました！　百キロを超えます！」と絶叫していたのを鮮やかに覚えています。百キロを超えることが、プロの運転手さんにとってすごい冒険であり、生涯ではじめて自分は百キロ出したんだ、という興奮の叫びでした。

そして東京オリンピックでは、「東洋の魔女」をはじめ日本人選手が大活躍し、大阪万博では、岡本太郎さんが建てたエネルギーあふれる「太陽の塔」が空にそびえます。「こんにちは、こんにちは、世界のひとが」という三波春夫のかん高い歌声が日本中に流れる中で、「神田カルチェ・ラタン」と呼ばれた神田一帯に催涙弾と火炎瓶の煙が立ち込め、新宿の駅前は騒乱状態に陥りました。連合赤軍事件が起きるまでは学生たちにも熱気があったし、どれも一種の躁的エネルギーによってわき返っていたものです。

憲法で「国民統合の象徴」とされる天皇陛下とその御一家も、明るい話題であふれていました。明朗で美しい美智子さまが、軽井沢で皇太子と一緒にテニスをする姿は青春そのものに映りましたし、日本人の心に明るいものを吹き込んだと思います。

長嶋茂雄が天覧試合で打ったホームランは、スポーツを超えたドラマとして国民の記憶にのこされました。

政治家の顔にも野心と活気があふれ、いまでは想像もつかない言葉ですが、池田勇人《はやと》首相は「所得倍増」をスローガンとして国民に約束したのです。ごつい顔をした人で、大きな歯をだしてよく笑う池田さんは、フランスのド・ゴール大統領から「トランジスタのセールスマン」といわれましたが、躁のエネルギーを感じさせました。「日本列島改造論」をかかげた田中角栄さんもまた躁的な政治家でした。めざましい経済成長にしても、政治、スポーツ、芸能、映画や音楽にしても、戦後の五十年間というのは、日本人が躁状態の中で駆け抜けてきた時代だったのです。

避けようのない鬱的時代

ジェットコースターに乗ると、ずっと上っていって下りに入る前にスピードが落ち、頂点で少しだけ停止するような状態があります。戦後ずっと躁状態で走りつづけてきた私たち日本人にも、バブル崩壊から十年間あまりの空白の停止時間がありました。

昭和が終わり、平成に入ったときから見え始めた鬱の時代の予兆——、小泉首相などは躁状態を演出していましたが、世の中にはどことなく虚ろな空気が漂っていたようです。そして安倍首相、福田首相と代わるにつれて政治のカラーも次第に鬱になってきます。病気としての鬱ではなく、「鬱的な気分」が、社会全体を覆いはじめたのです。躁から鬱への時代の大転換は、人の気分や政治家の表情だけではなく、流行やカルチャーまであらゆることに見られるもので、全体的にすこぶる鬱な話題が先行しているように思います。

国民のシンボルである皇室でさえ、いまは残念なことに、なんとなく暗くてもの寂しい気がします。天皇陛下が手術をなさり、皇后陛下もお具合が良くないと伝えられ、皇太子妃が適応障害という状況では、皇太子殿下のお顔にやや活気が感じられずとも当然でしょう。

スポーツ界では国技らしからぬ出来事があり、メディアの袋叩きにあったボクシングの亀田兄弟の記者会見、オリンピックでの日本野球、どれも見ているだけで、スポーツ界もここまで暗くなったか、と感じたものです。

医学においては、少し前までは脳や心臓がメジャーな分野で、精神科はどことなく軽《かろ》んじられていたのが、今や心療内科が大はやりで、書店には精神科医の本がたくさん並んでいます。

アメリカではすでに数年前から、国民が民間医療、いわゆる補完代替医療に投じる費用が西洋医学の近代医療を上回りました。これはじつに画期的なことでしたが、日本でも同じような動きが強まっています。

気功や整体、鍼灸《しんきゅう》のように、迷信まがいではなくきちんとした理論にもとづく民間療法は、西洋医学に比べて身体に大きなダメージを与えないし、安価でもある。画期的な新薬や新しい医療技術を使った進歩、脳や心臓外科を躁の医学とすれば、それらは明らかに鬱の医学です。

宇宙物理学者の話を聞いても、私が思うのは、少々乱暴な言い方ですが、ビッグバンから宇宙がどんどん拡張していくという理論を躁的とすれば、やがて宇宙は収縮に転じてついには一点になると言われると、これは何とも鬱的です。

そもそもエコという発想が、鬱の世界です。

社会のあらゆる分野で、躁から鬱への変換が起こる暗澹《あんたん》とした時代に、自己啓発の本がよく読まれる背景には、自分の生き方をちょっと変えることで世界が変わるかもしれない、という希望を誰もが失いたくないということがあるのでしょう。

資本主義のゴーストが世界中でいかにのたうち回ろうと、それと関係なく一歩ずつでも自分でできることがある。頭をきり変えればやがては明るい道へでられるのではないか、そういう願いを持つ人に向けた本が売れています。

誰もが潜在的に大きな不安を感じていて、今日という一日がどこか空々しく感じられる時代に、みな何かしら無意識に、生活防衛的なものを求めているのかもしれません。

病気の氾濫と鬱の医学

先日、私の友人が皮膚に湿疹ができて近所の大学病院の皮膚科へ行ったときのことです。そこには六人の専門医がいて診療室が六つあり、そのひとつに割りふられた順番札が七十二番。「三時間半から四時間ほど待ってください」と言われて、これほど日本には皮膚病の患者がいるのか、と驚いたというのですが、実際のところ、病院診療はもう限界にきています。

知人の勤務医に聞いた話でも、午前中に数十人を診《み》て、昼食は歩きながらサンドイッチをかじり、午後には目が回ってきて薬を飲みながらフラフラで診療にあたるといいます。二十四時間、三十六時間勤務が当たり前の激務で勤務医の年収は六百万程度という例もあるそうですから、まったく同情するよりありません。

いまの日本では、だいたい四人に一人が何らかの病気をしている計算だという。高齢化はあるとしても、これほど人間社会が「病気」にみちている時代はかつてなかったのではないでしょうか。

しかし一方では、現代ほど科学が細分化されてしまうと、素人でもあきれるようなことがしばしば起こります。ある友人は、盲腸炎を見落とされて腹膜炎を併発し、長期入院せざるをえなくなりましたが、結核も分からない、梅毒なんて見たこともないという専門医が増えてきて、がんの診断などはもっとややこしいことになります。

かつて作家の野間宏さんは、新しい科学理論を一生懸命に勉強して、その理論を文学に応用されていたことがありました。分子生物学というのは、人類の希望の星のように思われた時代があったのです。しかし専門的研究というものは、進むほどに行き詰まりが出てくるものです。

医療という行為が細分化されていけば、大変な診療部門である産婦人科や小児科のなり手はへっていく。患者としても、忙しくて粗末に扱われるようになっていくと結局病院にはまかせられなくなる。

最終的に、自分の体のコンディションは自分で守らないといけないと誰もが感じはじめる。そこに治療よりも養生だという思想が生まれてきます。

中国では早朝から大勢で太極拳をしている光景を見ますが、私はあれを見ると、「みな養生に気をつかっているな」と考えます。いくら弾圧されても法輪功《ほうりんこう》に人が集まるのは、社会主義体制でみんなが守られるというシステムが崩れ、病院にいけるのは金持ちだけということになる。そこで、やはり自分の体は自分で守らざるを得ないのだという自衛意識が生まれてくるとも考えられます。

国家が社会主義だろうと、資本主義だろうと同じこと。税金をはらっているから面倒を見てくれるだろうと考えたところで、結局は個人の責任ですし、お金がなければ高価な医療器具がそろった病院では診てもらえません。一般庶民にとっては、自分で自分の体を養生するしかほかに道がないのです。

心身一如という考え方

内科的であれ外科的であれ、体に何らかの問題が生じたとき、それが心因性のものかどうかを追究するのが心療内科です。また、特定の部位だけではなく、その人全体を見ることの大切さを考えたのがホリスティック医学です。

病気を生理的な原因からだけ追究しようとする古いタイプの医師も中にはいますが、「心身一如《しんしんいちにょ》」といって、心と身体が密接な関係にあることは、常識のある医者ならだれでも理解するようになりました。

『他力《たりき》』という本の中で私が、「今の日本は心の内戦の時代ではないか」と書いてからもう十年ですが、身体の病だけでなく、心の病はますます激しさを増しています。

少し気がふさぐ、元気が出ないとあたりまえのように病院へ行くようになりました。私の周囲を見ても、心療内科に通っている編集者が何人もいますし、とりわけ多いのがテレビ関係者です。テレビというのは最も躁的メディアですけど、その中で働く人たちが、鬱的な感覚から解放されようと心療内科に通院しているのでしょう。

日本の心療内科は、六〇年代の前半に九州大学の内科から独立し、スタートしました。その後国際的にも急激に研究が進んだことで、いまでは免疫学と同じように、新しい医学の分野として注目されている。

心の状態が身体に大きな影響を及ぼすことはすでに常識です。心因性の病気の領域はどんどん広がっているのです。心が鬱々とするということとは別に、足が痛い、視力が落ちる、頭痛がつづく、という症状などももちろん、ガンもストレスに起因するという説が出てきています。

人生にはつきもののストレスですが、それが心因性の問題となって、人間の免疫力、自然治癒力に大きな影響を及ぼすのは当然でしょう。

パックス・アメリカーナの終焉《しゅうえん》

数年前、デトロイトへ行って国内線に乗りかえたときのことですが、異様な保安チェックの光景を目にして衝撃を受けました。

体格のいいアメリカ人男性たちが、ズボンのベルトまで外され、靴も靴下も脱がされて、ずり落ちそうになるズボンを押さえて、うなだれて並んでいるのです。

あれほど自己主張が強くて、いつも白い歯を輝かせて陽気にジョークを飛ばしていたアメリカ人が、これほど暗鬱な顔をして、文句も言わずに羊のようにおとなしく並んでいる光景を見て、「アメリカ人も変わったな」と痛切に感じました。

アメリカという大国がたどってきた道は、戦後、一貫して「パックス・アメリカーナ」という躁の状態でした。しかしいまでは、国家保安という名目があれば盗聴も尋問も許されるし、歯磨き粉や肌荒れクリームひとつでさえ没収されても仕方がないという国になってきています。テロとゲリラに対するあらゆる情報網が張りめぐらされ、監視カメラが人々の行動を写しながら、見えない恐怖と戦いつづけているのです。

映画『巴里《パリ》のアメリカ人』を観ても分かるように、かつてアメリカ人は、世界中どこへ行っても自分たちは好かれていると頭から思い込んでいました。第二次大戦が終結した後も、アメリカが世界を復興したのだという自信にあふれていました。

自分たちアメリカ人はだれからも歓迎され、英語は世界中でつうじる、そういう楽観的な考えで生きてきたわけですが、二〇〇一年九月十一日、崩れ落ちるタワービルの映像を見たときに受けたショックは、私たちが想像できないほど大きかったはずです。アメリカを激しく憎み、敵と考える勢力があるということを、建国以来はじめて心の傷として刻み込まれたのですから。

その9・11をきっかけとして、世界は「鬱の戦争」に突入しました。戦略爆撃機でミサイルを撃ち込む、戦車を出して海兵隊や陸軍が地上戦を華々しく戦う戦争は、「躁の戦争」です。それが軍隊の花形だという時代は遠く過ぎ、いまでは対テロリズムが戦争のシステムになってきました。

対テロ戦争というのは敵兵の姿が見えない戦いです。見えないから、正面から攻撃することもできない。テロとゲリラという新しい鬱的な戦争戦略がグローバル・スタンダードになってきた。大型の軍艦や戦闘機を配備することよりも、電力などライフラインを混乱させる、食品中毒を起こす、あるいは水源を汚染させる、そういう事件で国家間のバランスまでが左右される時代に入ってきました。

現代では国対国の対決という形は姿を消しつつあります。かつての熱い戦争から、さらに冷戦の時代を経て、ついに、「目に見えない戦争」が支配する時代になりました。

中国の冷凍ギョーザ事件で見られた、あれだけの国民的な摩擦と対立感情を考えれば、プロパガンダとしての影響力ははかりしれないものがあります。どうテロに対処するか。

だがそれはどうにもならないからこそテロなのだという意味で、じつに鬱的です。

維持と後退の経済学説

私はまったく経済の知識はありませんが、外国を多く歩いてきた実感としてはっきり言えることがいくつかあります。それは国と国が対立していようと、敵と味方があろうとなかろうと、「資本」には国がないということです。

ですから、「資本主義という幽霊がヨーロッパをさまよっている」というのではなく、現在は、多国籍無国籍の巨大な金融資本のゴーストが世界中を自由に走りまわっている、ということを感じないではいられません。

アメリカであれ中国であれ、アラブ資本やユダヤ資本であれ、そうした国家や民族の意思とは関係のない巨大な金融勢力によって、食糧から石油にいたるまで、国境を越えて自由に操作されているような時代です。

その中で生きてゆく私たち人間は、ある意味では生殺与奪《せいさつよだつ》の権を握られてしまっている。どんなに個人が努力しても、どうにもならない限界があります。

これまでもてはやされてきたアメリカ流のマネージメント手法や新しい金融工学は、

本来は利益が出るはずがないところからでも、打出《うちで》の小槌《こづち》のように儲けをうむという幻想をつくりだしました。その意味では、まさに躁の経済の頂点という感じがします。金融工学のリーダーたちはノーベル賞を受賞し、ヘッジファンドが金融市場を席巻して、新しい未来を作りだすかのようにあつかわれてきました。

しかし、サブプライムローンというやりかたは、弱者から利益をしぼりだす経済学、すなわち鬱的経済学の典型だという気がします。

結局はそれが破綻《はたん》して金融システムそのものがグチャグチャになっているわけですが、そもそも無理がある住宅ローンを請け負う保証会社があり、それを格付けする会社があって、さらにリスクのある債券をミックスして新しい商品を作り、さも信用があるかのようにドレスアップして市場に流通させていったのです。

サブプライムローンは、天才的な詐欺です。それが悪質なのは、最終的な尻ぬぐいを公的資金、つまり国民の税金でやらせることになる点です。

それらがウイルスみたいに潜《もぐ》り込んだ証券や金融商品は、どれだけあるかさえ分からないといいます。単品ならば債権処理ができても、サブプライムローンはいわば複合汚染ですから、「複合負債」による損失は、これくらいだとケリをつけたくても、おそらくダラダラと毎年ふえていくことでしょう。

有効な手を打ちたくても、テロと同じように敵の姿がよく見えない「鬱の負債」なのです。経済人たちにとってはなんとも憂鬱な現象だろうと思います。

日本でもこれまでは対前年比何パーセント成長などといっては、経済は将来にわたって成長するべきだという「いけいけドンドン」の考え方がまかり通ってきました。しかし、これから先は前年比が下がり、売り上げも落ちることを覚悟したうえで、なんとか良質の需要と利潤を確保していく形が自然だろうと思います。

つまり発展の経済学、躁の経済から、後退しながら維持していく鬱の経済への思想が必要になってくる。

そうした鬱的な経済状態の中での活路といえば、たとえばエコであったり、優れた環境技術を持つ企業に投資するファンドや信託であったりするのだろうと思います。

最近ようやく、アメリカでは金融機関が融資しない個人に、個人投資家が集合として少しずつ資金を出し合い、貧しいが働く能力と意志をもつ人びとに資金を貸しつけるようなことがはじまったそうですが、利益追求一辺倒《いっぺんとう》の従来型銀行ではなく、ある思想を携えた融資銀行が誕生してくるのかもしれません。

げんに、バングラデシュでは銀行家のムハマド・ユヌスが、働く意志と能力をもつ貧困層に低利の資金を無担保で貸し付ける融資を成功させています。ユヌスは二〇〇六年のノーベル平和賞を受賞しました。

重苦しいことばかり言いつづけると、もうしわけない気もします。しかし、人間は生まれたその時代の中で生きていくしかないのです。

その時代が歴史の流れのなかでどこに向かっているのか、今は上昇しつつあるのか。あるいは下降気流のなかにいるのか。その先に何が見えてきているのか。それを正しく覚悟したうえで、今ある自分自身の歩みを進めていかなければなりません。

つまり、「あきらめる」「明《あき》らかに究《きわ》める」必要がある。そして、それを引きうける覚悟が必要です。たとえそれがどれだけ憂鬱なものだとしても。

第二章　人生は憂鬱である

あんがとノート

作家として世に出てからしばらくたった四十代の終わりから五十代のはじめにかけて、かなり長い間、私はきわめて深刻な鬱状態におちいりました。

しばらく仕事を休んで、三年ばかり京都の龍谷《りゅうこく》大学で仏教学の聴講生となった後、『風の王国』という小説でなんとか仕事に復帰しましたが、六十歳をすぎたころになってふたたび厄介な鬱状態が訪れてきたのです。

一度目の鬱状態のときは、「歓《よろこ》びノート」、二度目は「悲しみノート」というものを作りました。つまり、その日一日で心に残ったことを何でもいいから書きとめ、最後は「うれしかった」「かなしかった」でしめくくる日記みたいなものです。

一度目と二度目は、そうすることで心を少しずつ解き放つことができ、鬱な気分はいつしか自分から離れていきました。

しかしまたもや七十代で訪れた鬱状態は、三度目の正直かと思うほどに深刻でした。何を食べても砂をかんでいるように味気なく、それまで好きだった演劇や映画、コンサートなどにもまったく関心がもてません。人と会うことすらおっくうでした。

前に作ったノートを試みても効果がないのです。ほとほと困りはてたすえに、今度は毎日ちょっとしたことですが、ありがたいなあ、と感じたことを一行ずつ書きつける「あんがとノート」というものをはじめました。「あんがと」とは、北陸のお年寄りなどが「ありがとう」というときの言葉です。これが意外に効果があって、ようやく立ちあがり、また仕事をはじめることが出来るようになったのです。

どの時にしても、鬱状態の中にあるときはとてもつらかったわけですが、今にして思うと、やはりそういう時期があったからこそ、七十代後半にさしかかった現在でもこうして書きつづけていられるのだろうと思います。

最近、鬱な気分、あるいは鬱という言葉をよく耳にします。昔の人はそういう状態を「こころ萎《な》えたり」といいました。しおれてしまった花や草木みたいな、無気力でぐったりとしている状態を表現したものですが、古来ずっと変わることなく、人生は鬱に満ちているものだと私は感じてきました。

元気にすごしているようでも、ふだんはそれと意識しないだけで、人生から鬱を取り去ることなどできないのです。毎年、梅雨明けは九州、関東、東北では時期がちがいますし、場所によっては土砂降りだったり小雨だったり、降り方もさまざまですが、それと同じように、人によって鬱の出方もさまざまなちがいがあるのでしょう。

君子は「悒《ゆう》」を備える

しかし本格的な鬱病でない、気分的な鬱や鬱状態を悪いことのように考えて、すぐさま抗鬱剤で治療しようと考えるのはどうでしょうか。生きているということには、常にうっとうしいことがともなうのです。古来多くの人が同じように悩んできました。

だからこそ、人の心に棲《す》む鬱というものに対して、あらゆる国でそれを大切にする歴史と文化があるのです。

たとえば中国には「悒《ゆう》」という言葉があります。これは「心がむすぼれて平《たい》らかでない」という意味で、かつては憂鬱の「憂」に「悒」を使ったこともあるそうです。漢文教師だった父親はよく、「君子ハ終身《しゅうしん》コレヲ守リテ悒悒《ゆうゆう》」、つまり君子たる者は「悒」という感覚を常に身につけていなければならないのだ、と言っていました。

自然の美しさや素晴らしい芸術にふれて感動する時、素晴らしい、喜ばしい、とただ晴々していてはだめだというのです。

そういう喜びや感動の背景に、すっと一はけ、墨を刷《は》いたように何ともいえぬ寂しさと哀感が常に流れていてこそ人間的な感動である。それを感じとるのが君子の感動の仕方だというのですが、とても成熟した考え方ではないでしょうか。

万葉人の「かなし」とは何か

「悒」という感覚は、喜びの背景に流れるある種の哀感と似ていますが、万葉集に、「うらうらに照れる春日《はるひ》に雲雀《ひばり》あがり　情《こころ》かなしもひとりしおもへば」という大伴家持《おおとものやかもち》の有名な歌があります。

おだやかな春の日、野原は緑、空は青く白い雲、雲雀が元気よくさえずり舞い上がっていく——、そんな春の景色を見ながら、一人こころが悲しいと詠《よ》んでいるのです。

万葉の時代の「かなし」は今の「悲しい」とはちがって、天地自然のあらゆる情感が心にしみこんでくるような、なんともいえない「いとしい」という感覚を同時にはらんだものでしょう。「吾妹子《わぎもこ》かなし」もそうですが、単純に喜び愛するのとはちがった感覚で、どこかにひそかな愁《うれ》いを背負った感情です。

ある西洋の思想家は、「人はなぜ、あらかじめ失われると分かっているものしか愛さないのだろう」となげきましたが、たしかにその通りです。人間はそれが永遠に目の前にあると分かれば、あまり愛着をおぼえない勝手なところがあるのです。

いつかは必ず失われてしまうという不安があるからこそ、激しく愛するのだという考え方には、たしかに一面の真実があります。

春の野に立つ万葉人《まんようびと》の心中を去来《きょらい》したのは、おそらくこの春もあっという間にすぎ去り、灼熱《しゃくねつ》の夏につづいてやがて蕭条《しょうじょう》たる枯れ野の秋がくる。そして雪が降り積もる冬がやってきて、若い雲雀も飛べない老い雲雀に変わり、緑の野も荒涼たる茶色に変わっていくのだ。そういう自然への情感と自分自身が二重に写っているのだろうと思います。

すべてはうつろっていく。今この瞬間、この素晴らしさは、やがてすぐに消えてしまう儚《はかな》いものである。それと同時に、それを見ている私自身はどうか、あといくたびこの春を見ることができるであろうか。実際、家持はその後不遇な運命におちいります。

私もこの年齢になると、西瓜《すいか》を食べながら夏の甲子園野球を見て、「ああ、あと何回こうして見られるかな」と思ったりします。平均寿命から考えれば、一回夏がすぎれば、あと四回、再来年になるとあと三回かな、と考えていくと、ほんとうに人生というのは残りわずかです。

うつろいゆくものへの寂しさというのは必ずあるもので、「情《こころ》かなしも」には、うれしい、いとしい、という喜びや愛しさの裏側に、常に悲しみがつきまとっている。それは中国語の「悒」という感覚にとてもよく似ています。

人には必ず「トスカ」が棲む

ロシアでは、どんな人の魂にも必ず「トスカ」が棲んでいるのだといいます。

これは一つのおとぎ話ですが、帝政時代にシベリヤで働く勤勉な農夫がいて、毎朝日の出とともに畑に出かけ、日が沈むまで働きづめでフラフラになって家に帰ってくる。それからイコンに祈りを捧げ、貧しい夕食をとって寝床につく。

そういう農奴《のうど》の暮らしを何の疑いもなく繰り返していた農夫が、ある日突然、畑で鍬《くわ》を投げ捨ててスタスタとどこかへ歩きはじめる。

そして、どこまでもどこまでもずっとただ真っ直《す》ぐに歩いていって、山を越えて丘を越え、野を歩き、ついには狼の餌食《えじき》になるか、行き倒《だお》れて死んでしまう――、そういうことがあると、昔のロシアでは、あの男はトスカにとりつかれたのだ、という。

こうした話はあちこちにあって、ある日突如として村に火を放って姿を消したりする者がいる。それは政治的な理由でも経済的な理由でもなく、トスカに襲われたのだといったという。

明治時代、二葉亭四迷《ふたばていしめい》はツルゲーネフをはじめ十九世紀のロシア文学をいろいろ翻訳し、日本の自然主義文学に大きな影響をあたえましたが、その中にゴーリキーの『トスカ』という小説があります。トスカを露日辞書で引くと「憂愁《ゆうしゅう》」と出ていますが、二葉亭四迷はそれを作家なりに工夫して「ふさぎの虫」と訳しました。

少し下世話《げせわ》な感じの訳ですが、それはさておき、この「ふさぎの虫」というのは、どの人の中にも棲んでいるものらしい。だれもが必ず心のうちに一匹ずつふさぎの虫を飼って生まれてきて、人生のどこかで、その虫にぐっと心を嚙《か》まれる。

ふさぎの虫にもいろいろな性質があって、生まれて間もないころからわるさをしてその人の心を悩ませる虫がいる。石川啄木や寺山修司、ランボーや中原中也のような詩人たちは年少のころからこのふさぎの虫に心を噛まれていたのかもしれません。

ところがほんとうに根性の悪いふさぎの虫は、人の心の一番深いところに深海魚みたいにじっとしている。自分がいることさえも感じさせずに潜《ひそ》みつづけ、やがてその人間が生涯で最も厳しい危機に出会った瞬間に飛び出してガブリと胸を噛む。そうなると流れ出した毒液で、その人はどうにもならない重い鬱状態に陥っていくというわけです。

『トスカ』という小説は、市井《しせい》のある中年男が突然これに襲われ破滅していく話で、読むほどに憂鬱になりかねない小説です。

しかし、ロシア人は、人間はトスカを抱えて生きている、いつかそれと出会うのが人間の運命なのだと覚悟して受けとめている気配があるところがおもしろい。

「サウダーデ」あってこその人生

中国では「悒《ゆう》」は君子がもつべき大事な感覚、ロシアの「トスカ」は人として逃れられない憂愁ですが、ポルトガルには「サウダーデ」という言葉があります。ポルトガルにはファドという人間の運命を歌う民族歌謡があり、名歌手アマリア・ロドリゲスにも「サウダーデ」という絶唱があります。

新田次郎さんはサウダーデを「孤愁《こしゅう》」と訳していましたが、これは漢文の文脈にある言葉で、漱石が漢詩でしばしば使いました。わりと近い感じはしますが、やはりサウダーデという言葉に響く情感は訳しがたい。

日本語としてはどうもぴったりした訳がないのですが、旅愁、哀愁、郷愁、そのどれともちがう愁《うれ》いのことで、人生においてとくに大切なものとして扱われている。「サウダーデ」は、同じポルトガル語でもブラジルでは少し訛《なま》って「サウダージ」というそうです。私はブラジルの音楽がとても好きで、音楽を聴きにわざわざ奥地まで行ったことがありますが、ある時、サンパウロ大学の日本語が達者な青年ガイドと一緒にバイヤ地方で素晴らしい歌と演奏に出会って大いに感激しました。

私は、「これはもう最高だ。これぞブラジルの音楽、ブラジル音楽は世界一だ」と興奮していたのですが、ガイドの彼は腕組みしたまま、「まあ、悪くはないね」みたいな言い方をする。少々ムッとしたので、ホテルへ戻ってからあらためて理由を訊《き》いたところ、「僕はブラジルの音楽というのは、熱狂的なサンバだろうが、近代的なボサノバだろうが、土俗的な音楽であろうが、その背後にサウダージという感覚が同時に流れていてこそ最高なのだと思う」というのです。

ブラジル人は音楽だけでなく、人生にはサウダージが大切で、サウダージがなければ人生とはいえない、そう思っているらしい。やはりこれも中国の「悒《ゆう》」、ロシアの「トスカ」のような感覚なのだと思います。

全身で木枯らしのようなため息をつく

韓国では「恨《ハン》」という言葉があります。字義《じぎ》としては、うらむ、かなしむとありますが、私は、これは韓国の貴重な民族文化の一つだと考えています。「恨」というと、呪術《じゅじゅつ》的な占い師に頼るような感覚を連想する時もありますが、それだけではありません。何千年という歴史の中で考えると、半島というのはやはり苦しい場所なのです。

長い何千年の歴史のなかで、飢餓《きが》と凶作、伝染病と疫病、内戦と戦争、そして植民地支配と、ありとあらゆる苦難が津波のように繰り返し襲ってくる。そういう中で最もつらい傷を負うのは、結局、老人と女子どもをふくめた庶民たちです。

関西には、耳塚《みみづか》とか鼻塚《はなづか》とよばれる史跡がありますが、それは豊臣秀吉が朝鮮に出兵した際、一人ずつ敵兵の首を取ったら持ち帰るのがたいへんだから、耳や鼻を削《そ》ぎ落として椎茸《しいたけ》みたいに袋に詰め、山のように送ってきたという。

その数知れない人々、鼻を削られ、耳を切られた人たちの傷《いた》みを供養するために建てられた塚だそうですが、当事者はもちろん、そういう民族の記憶はずっと消えるわけがありません。これは一例ですが、「恨」というのは民族としての痛みの集積であり、文化なのでしょう。

韓国で全羅道《ぜんらどう》の方に行ったときでしたが、いまだに「キヨマサオンダ」という言葉があると聞いて驚きました。「キヨマサ」は加藤清正、「オンダ」は来るぞ、ということです。

日本で「泣くな、泣くな、泣くと山から蒙古《もうこ》が来るぞ」という子守歌があるように、かつて韓国では子供に「清正が来るぞ」というとピタッと泣きやんだという伝説です。それほど恐ろしい記憶、長い歴史の間で繰り返し、血と涙を流した記憶がトラウマとして焼きつけられ、母から子、子から孫へ精神的な遺伝子として残るのはあたりまえでしょう。

金持ちも貧乏人も、若い人も年寄りも、私たちは心の中にそれぞれの「恨」を宿《やど》していて、それを抱えて生まれ、生きて、死んでいくのです。それが強く出てくる人もいれば、あまり出てこない人も、さまざまだと思いますが、前に私が在日の友人から聞いた話でこんな話がありました。彼がまだ子供のころのことですが、ランプの下で夜なべ仕事をしていた母親が、ふと手を止めてこんな話をしてくれたのだそうです。

――お前もいずれは大人になっていくだろうが、大人になるということはいいことばかりじゃないんだよ。大変なことがいっぱいあるんだ。ある時不意にこれという理由もなく、思い当たる原因もないのに、何ともいえない無気力感、憂鬱な気持ちの中にストンと落ち込んで、どうにも抜け出せなくなることもある。

それがしばらくつづくと、ついには血のつながった家族、きょうだい、肉親も赤の他人みたいに感じられて、母親さえも敵のようで、幼なじみの友だちや仕事仲間は全員がライバルのように思われてくる。そして子どもの時から将来の夢だったこともつまらなくなり、しまいには自分なんかこの世にいなくてもいい、クズだと思うようになってしまう。

人生ではじめてそういう状態に出遭《であ》うと、だれもが驚きあわてて、自分は精神がおかしくなったのではないかと不安に怯《おび》える。気のつよい人間は、負けるな頑張れと自分を叱咤激励し、プラス思考で乗りこえようとする。要領のいい人間は、楽しいことをしてやりすごそうと姑息《こそく》な工夫をするだろう。でも、結局は何をやってもだめなのだ。
人はすべて「恨《ハン》」というものを心の中に宿している。なんともいえない気持ちを感じるそのときは、「恨」が目を覚まして、大人になったあんたのところへ訪れてきた瞬間なんだ。「恨」はやがて去っていく。

だけど「恨」が活動している間はどうしようもない。だからそういう時には、無理に肩をそびやかせて強引に「恨」をやっつけようなんて考えず、肩をすくめて、背中を丸めてしゃがみ込み、「あーぁ」と体全体から大きなため息を三度、四度、五度六度でも繰り返してつくがいい。

そうやって全身でため息をついていると、不思議と一瞬、束《つか》の間だけれど「恨」の重さがふっと軽くなった気がする時があるだろう。そしたら、とりあえず立ち上がって歩いていけばいいんだよ。

大人になってそういうことがあったら、「そういえば、お母さんがこんなことを言っていたな。ああ、これが『恨』というものか。『恨』が自分にやってきたのは、大人になった証拠なんだ」、そう思いなさい——。

背中の上に鉛の板のようにのしかかってくる「恨」の重さを少しでも軽くしようと、

全身で、木枯《こが》らしのように大きなため息を「フゥーッ」と吐く。それを「恨息《ハンスム》」というそうです。人が何とも言えず落ち込んだ気持ちの中にいるときは、「頑張れ」という激励ではなく、大きなため息をつくことによって励まされるのだという思想。

これはとても示唆に富む考え方です。「恨」というのは民族の文化であり、つらい人生を生きていく深い智恵なのかもしれません。

また一方では、人間には暗い憂鬱な気持ちで生きるだけではなく、時には朝から何をやってもうまくいきそうで、宝くじでも買おうか、という気分の日もあります。そういう心の晴々とした状態は「恨晴《ハンプリ》」というのだそうです。「ハンスム」「ハンプリ」、いずれも言葉にどこか雅《みや》びな印象があって、私には今も忘れることができないのです。

人はみな「悲苦」を抱えている

こういう考え方は他の国にも無限にあります。たとえば英語でも「blue」には、晴れた青空みたいな、という意味と、落ち込んだ憂鬱な気持ちの両方の意味があります。「blue　Monday」とよばれる月曜日の憂鬱にも、人としてそれなりの理由がある。

ではこの言霊《ことだま》のさきわう国、日本で何という言葉があるのかと考えると、なかなか一言ではむずかしい。やはり「かなし」でしょうか。あとは「愁《しゅう》」という字もあるものの、もとは漢語です。中国では秋や冬に「愁」を感じますが、日本では「春愁《しゅんしゅう》」などといって、先ほどの家持《やかもち》の歌のように、咲いている花がやがて散っていくところにわが身を重ねる心性があります。

仏教で煩悩《ぼんのう》とか無明《むみょう》というのは、自らの力ではどうしようもないものを人間は最初から抱えこんでいる存在であるという考え方です。それとともに生きていくしかないという決意です。

煩悩、無明、愚かしさについて親鸞は「悪」と言いましたが、それらを排除してしまうのは絶対に不可能なのであって、それを抱きつつ生きていくのだと覚悟しなければいけないというのです。

何か気持ちが落ちこんで鬱々としてさえない心の状態、それを医学的にマイナスだからといって病気として分類するだけでは、人にとって大切なものが見えなくなる。

今の時代は、そういう「愁い」までも心療内科の対象として心の病にしてしまうのですが、私はそれはまちがっているのではないか、と思います。人生は憂いに満ちているし、人は憂いを抱えて生きていくものだと覚悟しなければならない。

シェイクスピアの戯曲『リア王』の中に、「人は泣きながら生まれてくる……阿呆《あほう》ばかりの大きな舞台に突き出されたのが悲しくて」という有名な台詞《せりふ》があります。

やはり、だれもが自分の意思とは関係なく、いやおうなく苦しみに満ちたこの世に出て行かざるを得ないのです。

ただし、人生は苦である、というのは、何も人が生きることが苦でしかないと言っているわけではありません。だがしかし、私たちの人生にはそういう何ともいえない重いものが誕生した瞬間から付き添っている、ということなのです。パスカルが「人は生まれながらの死刑囚」と見たものと、「人はいつか必ず発現《はつげん》する死のキャリアである」というのも同じことだと思うのです。

フランスで「ル・モンド」紙の宗教面の編集長から聞いた話ですが、十八世紀にはじめて仏教がヨーロッパに伝わったとき、人生はそもそも苦であるというところから出発する仏教は、虚無《きょむ》的な敗北の思想であるとされ、なんとなく嫌がられたそうです。

しかし、ショーペンハウエルの厭世《えんせい》主義や、『死に至る病』で絶望を追究したキルケゴール、また「神は死んだ」と宣言したニーチェや、『存在と時間』を著《あらわ》したハイデガーのように仏教思想を足がかりにする哲学者が生まれ、あらためてヨーロッパでも仏教が見直されるようになってきたという話でした。

親鸞の唱えた悪人正機説《あくにんしょうきせつ》は、生きている人間はみな必ず悪を抱えているという意味であって、善人と悪人を隔《へだ》て分けて、悪人こそすくわれると言っているのではありません。ただ、悪の背景には必ず「悲苦《ひく》」があって、だからこそ阿弥陀如来という仏は、まず最もそれを多く味わっている人間からすくうのだと考える。それは貧乏人であると金持ちであるとにかかわらず、最も苦しみ嘆いている、痛みを感じている人間からすくう思想ですから、親鸞の悪人正機説はかなり誤解されていると思います。

悪人正機という考え方自体は、鎌倉時代よりもっと前から既存《きそん》の仏教の中にもありました。ですから、必ずしも法然が新しく創り出したわけでも、親鸞の発明でもありません。

親鸞の言葉を、弟子の唯円《ゆいえん》がまとめた『歎異抄《たんにしょう》』の中の、「善人なをもて往生をとぐ、いはんや悪人をや」という考え方は、最初は親鸞の独創といわれ、次いで法然から伝えられたものだとされました。

しかし、平安末期に編まれた『梁塵秘抄《りょうじんひしょう》』の中にも、「念仏一つですくわれる」という内容の歌があることから、既存の仏教思想や大衆社会の底流としてはぐくまれてきたとも考えられます。

それでもやはり悪人と善人を超えたところで、心に悩みを抱えて深く悲しみ、自らを恥じて懺悔《ざんげ》の気持ちを抱いている人こそが、「南無阿弥陀仏《なむあみだぶつ》」と唱《とな》えることですくわれると親鸞は言っているのです。

人の憂いや不安の背景には、言葉にできない悲しさ、生きていること自体が切ないという情動があります。仏教では生老病死《しょうろうびょうし》を人間の四苦《しく》としますが、一番上に来るのが生であり、生まれてきたこと、生きていくこと自体が憂鬱なのはどうしようもないことなのです。

第三章　下山の哲学を持つ

登山には必ず下山がある

「登山」という言葉を聞くと、私はいつも不完全な言葉のような気がします。なぜなら、登山した人は必ず下山をします。登ったきりで終わるわけではなく、山登りには必ず山下りというのがあって、登山に成功したなら今度は安全に下界までたどりついてはじめて「登山が成功」したことになるからです。

登頂することだけが登山の目標ではない。きちんと安全かつ優雅に山を下っていくことが、人間にとって大切なのだと私は思います。

重い荷物を背負ってひたすら頂上をめざしている最中は、下界《げかい》をふりかえる余裕もなく勢いをつけて必死で登っていく。そこには、やがてあの峰に登れるのだと思える喜びがあります。しかしまた下りていくときには、何かを達成したという満足感と心のゆとりが生まれているはずです。

ゆったりと下界を眺《なが》めると、遠くに海が、あるいは北アルプスが、町並みが見えたりもする。「ああ、あれはあんなところにあったのか」と眼下の世界を俯瞰《ふかん》しながら、自分の足元に目を移すと、高山植物が綺麗《きれい》な花をつけている。「よくもこんな高いところで、可愛らしい、美しい花をつけるものだな」と小さな花をめでたり、思いもかけず雷鳥を目にして、うれしくなったりするだろうと思うのです。

山を登ることも大事だけれども、山を下りることも同じように大事、いまは山を登っている途中なのか、それとも頂上にとどまっているのか、あるいは下山にかかっているのか、それをきちんと見すえなくてはなりません。

人生百年という今の時代でいうなら、五十歳くらいまでに山を登りつめたなら、そこで十年ぐらいは頂上にとどまったとしても、それから先は六十歳からの長い下山をはじめないといけないわけです。

今は自分が登山中なのか下山中なのか、そこをきちんと判断して自分なりの心がまえをもたなければなりません。山を下るには登ることにもまして努力もいりますが、他方では楽しみもまたあるはずです。

登っていくときより下山の方が危険だという人がいますが、そこで心を落ち着けて山を下っていくということが、登山という行為の中でとても大事な、また中味のある部分なのだと私は思います。それは人生においてはもちろん、国家や社会においても同じことではないでしょうか。

下山の哲学

下山というと、私は「山を下りた人々」のことを考えます。

たとえば八〜九世紀、最澄《さいちょう》は比叡山《ひえいざん》に天台宗の牙城《がじょう》を築きました。延暦寺《えんりゃくじ》は当時の日本における最高峰の総合大学のようなものでしたが、他方で空海は高野山に金剛峯寺《こんごうぶじ》という一つの自分の城を築いています。

空海に比べると最澄は優等生的というのか、天才ではあってもキャラクターが地味で、それほど特異な存在ではありません。

しかし比叡山からは道元、栄西《えいさい》、法然《ほうねん》、親鸞、日蓮など日本の仏教を築いた天才のほとんどが巣立っています。巣立った、ということは、彼らはそこで天台座主《てんだいざす》をめざしてひたすらその道を登ったのではなく、みながやて山を下りているわけです。

親鸞は天台で高度な学問を修めただけでなく、常行念仏《じょうぎょうねんぶつ》という過酷な修行を重ねながら二十九歳で比叡山を下り、法然の後を追って市井《しせい》に入っていきました。

山を登りつめて最高位についたということではなく、みな出家のまた再出家をして、下山の過程でそれぞれに大変なことをなし遂げています。

それとは対照的に、弘法大師空海その人の天才は語り伝えられていても、そこからあまりユニークな宗教家は育っていないということがいわれます。

だからこそ人生の前半に登山の時期を終えたなら、今度は下山の時期を考えるのです。下山は決して寂しく惨《みじ》めなことではないし、穏やかで豊穣《ほうじょう》で、それまでの知識や情報では及びもつかなかったような智恵にふれる、そういう期間であるはずです。山を下りるその時は疲れているだろうと思いますが、その疲れは人生の正しい疲れであって、ひたすら上を目指して競争している間は、気がつかなかったことが感じられる。

男女の関係も同じです。出逢い、恋愛し、結婚し、しばらくすると子どもが生まれ、養い育てながら家を作っていく、そこまでは登山の段階ですが、あるところでそれが終わると少しの空白の時間が訪れます。子どもたちが自立して出ていったその先、パートナーとしてお互いをいたわりながら、いかにして夫婦生活を下山していくのか、家庭を持つということの意味も、半ばはそこにあると私は考えています。

下山の哲学——人生において、それをしっかり持たなければならないのです。

青年は荒野を目指せるか

七〇年前後には小田実《まこと》さんの『何でも見てやろう』、八〇年代以降では沢木耕太郎さんの『深夜特急』のように、若い人が一度は手に取る本というのがありました。

しかし最近は遮二無二《しゃにむに》外国へ一人旅《ひとりたび》に出たり、放浪的な貧乏旅行をするより、安価でまとまった手軽なツアーを選ぶ若い人が多くなっているらしい。

ガソリンの値段が高いせいもあるのでしょうが、かつては若い人の憧《あこが》れだった自動車の購買率も落ちる一方ですし、ガールフレンドを隣に乗せてBGMをかけながら湘南の海をドライブするより、「ロハス」や「エコ」、「スローライフ」というものに関心が向いている。ニートやフリーターという働き方も、時代に逆らわないという感覚にもとづいた働き方ですから、あるところとても素直なのだと思うことがあります。

こういう時代ですから、あまりお金をかけずに防衛的に暮らすのはけっこうなことですが、その人個人の生命のリズムからいえば、躁の状態、本来はどんどん上り坂を上っていきたい時なのに、時代が下り坂に向かっている。

ここに大きな矛盾があるため、いらだちと行き場のない焦燥《しょうそう》感を持つ若い人も多いのだと思います。

下降していく社会と、個人的には上昇していこうとする人たちの摩擦、どこにも出口の見えない閉塞《へいそく》した社会、うだつのあがらない自分自身へのやり場のない怒り、なんとか自己を啓発してもっと幸せをつかむのだという姿勢は否定しませんし、抑圧されたまま発酵してガスが出ているような鬱の気分が、多くの人を心の病に向かわせているのではないでしょうか。

昭和のころは、国民は「天皇陛下の赤子《せきし》」といわれた時代があり、前にふれたように、焦土からの奇跡の復興を目指す過程で、みな一体になる感覚がありました。もっとさかのぼっても鎌倉から江戸時代にかけては、主君への忠誠と奉仕という気持ちがあった。しかし今は、疑似《ぎじ》的家族であった日本の企業文化も消えてしまい、非正規雇用のもとでは同僚との連帯感ももてなくなりました。

カトリック作家といわれた遠藤周作さんが、「人が孤立感の中にあり、それを他の人にわかってもらえないとき、その苦しみは二倍にも三倍にもなる」と話されていたことがあります。

社会の体制という縦糸も、会社や家族という横糸も切れてしまえば、やはり人は孤独を感じざるを得ないでしょうし、自分の悲しみや孤独を訴える家族が解体し、親にも話せない、親友もいないとなればブログに書き込むぐらいしかないのだろうと思いますが、結局は満たされない気持ちが残るはずです。

サッカーやプロ野球チームの応援を目にすると、どうすれば他人の試合にあれだけ熱中し、自分を託《たく》すことができるのか不思議ですが、参加しているその瞬間だけは自分は一人ではないのだという感覚を味わっているのかもしれません。

私自身はすでに「後期高齢者」とされる人間で、世の中の流れとともに自分も自然体で下降していけますし、貧乏な暮らしが長かったとはいえ、若い時分と日本がどんどん成長していく時代が重なっていたことは、ある意味で恵まれていたのかもしれません。

私は若い人たちに向かって、もっと元気を出せとか、夢をもとうなどというつもりはありません。ただ、世の中とはままならないものだということは、しっかりと受けとめなければならないと思います。

ピラミッドの頂点に立つ人、イチローみたいになりたいと野球少年が夢を追いかけるのはけっこうですが、努力すれば必ずむくわれるわけではない。幼いころからオリンピックに出るために頑張り、実際に出る人はいますが、それはやはり幸運なのだと思います。

一方では同じ夢をもって頑張っても、世に出られない人が大勢いることを覚悟しなくてはなりません。

はじめに言ったように、あきらめる、というのはすごく大事なことです。人間は一人で生まれ、生きていく中ではどんな悲しみも苦しみも痛みも他のだれかに代わってもらうことはできず、やがては老いて一人で死んでいくものなのだ――、そのことを若いうちにできるだけ早く、明らかに究《きわ》めておくべきだろうと思うのです。

家柄、学歴、教養、人徳

サンスクリット語で「気がつく」「注意する」「心がけ」を「サティ」といいます。

以前、インド哲学者の中村元《はじめ》さんにうかがった話では、チベットの寺に修行にきた少年が、お茶碗を運ぶ途中でつまずいて落としそうになると、先輩の老僧が「サティ（気をつけて)」というのだそうです。

『アーナ・アパーナ・サティ・スートラ』のアーナ・アパーナは入る息・出る息、スートラは「(ブッダが弟子たちに残した言葉をまとめた)経典」ですから、自然に訳せば「呼吸についての心がけ」ということです。

中国語ではアーナ・アパーナは「安般《あんぱん》」、サティは「守意《しゅい》」、スートラは「経」ですが、これに「大」をつけて『大安般守意経《だいあんぱんしゅいきょう》』と言われると、どうにも読む気がしなくなる。

ブッダは形而上的《けいじじょう》で難解なことを言うのではなく、むしろ人間が毎日を暮らす上で大事なことを、様々な喩《たと》えによって語りつくした人です。その意味ではすごいリアリストであって、ミステリアスなところはまったくありません。ブッダの死後、人々がどんどん深遠《しんえん》な存在にしてしまっただけで、生身のブッダは人間として最高の知性の持主であったのだと思います。

民衆というのは、歴史の記憶に裏づけられた深い智恵を持っていると同時に、いつも非常に愚かしいところがあります。

現実の世でどういう人が尊敬されるのか考えてみると、はるか昔から今まで、やはり家柄、それに次いで学歴があります。唐に留学して帰国すれば下にも置かぬもてなしを受け、比叡山の僧というだけで周りから尊敬される。今なら東大を出ているというだけで、なんとなく尊敬されるのと同じことです。

ブッダはもともと小部族の首長のプリンスで、親鸞は下級貴族の子ですが、人はその出自《しゅつじ》を聞いただけで仰々《ぎょうぎょう》しく言いたてるものです。さらにつけ加えれば、富裕でお金があるというだけで、一つの尊敬の価値になる。その後にくるのが知識と教養で、最後が人徳です。

人徳が後まわしにされてしまうのは愚かしいことのようですが、昔から今まで変わりません。宗教の世界においてさえそうなのです。うんざりするようですがそれが現実であり、人間の世界というのはそういうものだと思うしかありません。

人の生き方はいつも一本道

イメージとして自分の未来を考えるとき、地獄の形はさまざまです。

きちんと就職して勤《つと》め人になっても、「毎日こんなサラリーマン生活を繰り返すのは地獄だな」と思うときもあるでしょう。仕事にあまり不満はなくても、待ち望んで作ったはずの家庭が、まるで地獄のように感じられることもあるはずです。嫁姑《よめしゅうとめ》の不和、夫婦間の微妙な心のずれや波立ち、子どもの非行、寝たきり介護、家庭を地獄と思ってしまうきっかけはいくらでもあります。

しかし、躁の時代であろうと鬱の時代であろうと、平和な時代であろうと騒乱の時代であろうと、人の生き方というのは同じ一本道です。

人は死を見つめながら、一日一日を充実させていくよりほかありません。それは、かつてあり、またこれからどんな時代がきても変わらない一貫した人間の一生なのだと私は思います。

ただ、夏と冬では着る物が違い、雨の日は傘をさし、雪の日にはカンジキを履《は》き、あるいは重く積もった屋根の雪を降ろしたりするようにライフスタイルが変わってくる。人の生き方の真実は一つだとしても、上り坂と下り坂とでは歩き方が、登山と下山ではカルチャーとモードが違うのです。

釈迦は「対機説法《たいきせっぽう》」といって、相手の能力や資質によって語る言葉を変えました。本質的な内容としては一つなのですが、学者に向かっては難解で高度な理論を、王侯貴族、商人、農民に対してはそれぞれ彼らがわかるように、話し方も説明の仕方も変えた。

これを「応病与薬《おうびょうよやく》」ともいいますが、今でも約三百余りの言語があるインドにおいて、ブッダはたくさんの方言につうじていたといわれます。

私がインドへ行ったときについてくれた通訳は大ベテランでしたが、北部の出身だったため、南部ではまるで話がつうじなかった。私たちはゴータマ・ブッダのようにはなれないとしても、自分が置かれた状況をよく考えて、それに合った生き方を選択していかなければならないと思うのです。

今は明らかに躁ではなく鬱の時代であり、それが長くつづくであろうことは覚悟しなくてはなりません。

自分をじっと見つめる

私は若いころ、車を運転するのが大好きで、よく首都高横羽線《よこはね》をとばしたものです。ことに羽田の手前、トンネルに入っていく左カーブをどれぐらい自分の思った通りに一センチの狂いもなくコーナリングができるか、みたいなことを嬉々《きき》として試していました。

しかし六十歳になった頃から、自分の考えているラインと実際に車が通った線の間にズレが出はじめ、何度試してみても外れるようになったのです。明らかな動体視力の衰えを感じて、「これはやばいな」と思ってそれから運転はやめました。

むかしは新幹線で駅を通過するたびに、「新横浜」「小田原」「熱海」と、はっきり駅名が読めたのですが、今では流れてしまってほとんど読めません。高齢者マークながらハンドルを握ればそれなりにできると思いますが、ほとんど運転はしません。その理由の一つは、三十年間無事故で来られたということでした。

車の運転というのは他人の命に関わります。自分は怪我《けが》しても死んでもかまわないが、他人を轢《ひ》いてしまったら大変なことです。しかも、自分の能力だけでなく、最近は非常に運転マナーの悪い人がふえました。

そう考えると、自分がただの一度も人身事故も接触事故も起こさず、だれも人を傷つけずに三十年間も運転を楽しめたのは、ほんとうに幸せなことでした。

あきらめるということは、よく見つめて決断して覚悟することです。信州の高原あたりを走っているときの爽快感を思い浮かべると、車の運転というのは、ある意味で若さを維持するうえで大事なこととも思えます。

実際、八十歳を超えてたくみに運転している人もたくさんいますし、私自身やればまだできるとは思いますが、それでもどこかであきらめる必要があるのです。

覚悟の「覚《かく》」は「理をさとる」という意味ですから、「ブッダ」は「覚者《かくしゃ》」と訳されます。「悟《ご》」もまた「さとる」で、世界の真実や真理を偏見《へんけん》なく正確に見るということです。私は「覚」は感覚的なもので、「悟」の方に語勢があるように感じています。

権利と保障は違う

運転する以上、ふつうの事故、自分の不注意から起こす事故は常識外だと思いますが、たとえばもらい事故で「赤信号で止まっていたら追突された」というのは、はたして通用するでしょうか。

後方からスピードを出してせまって来る車があったら、ブレーキランプを点滅させて注意を引くとか、突っこまれそうになったら避けるくらいの構えはとっておくべきだと私は思います。

青信号だからといって何も注意をはらわず、平気で直進してはいけない。青信号は「通ってもよい」というサインだと交通法規できまっていますが、青信号でも横から進入してくる非常識な車は皆無《かいむ》ではありません。

そう思えば青信号でも必ず左右に注意して通過するべきで、「法律を無視して横からぶつかって来たやつがいた」と怒ってみても、いいわけにならないのです。

何も、国が作った交通法規が役に立たないということではありません。自分がハンドルを握っている以上、車にかかわるすべての責任は自分にあるのであって、どこまでも国が面倒をみてくれるなどと思ってはいけないのです。

たとえ法律できめられていたとしても、運転者の中には酔っぱらいもいれば、無茶をする者もある。青信号を通過して事故に遭《あ》った自分は悪くない、などと言ってもはじまらないでしょう。

人間の現実は昔からそういうものですから、法律できめられていたとしても、自分自身を法律で守ってもらおうとは考えない方がいい。

人間は国や民族の権利で生きるのではありません。敗戦の混乱の中で日本人を庇《かば》った中国人もいれば、乱暴なソ連兵から日本婦人をすくった朝鮮人もいました。つまり、国家云々の以前に、個々のつながりの中でそれぞれ人は生きているのだと思います。

国を信頼しきっておぶさるなというのは、海外においても同じです。海外へはだれでもパスポートを持って行きますが、それを開くと、「日本国民である本旅券の所持人を通路故障なく旅行させ、かつ、同人に必要な保護扶助《ほごふじょ》を与えられるよう、関係の諸官に要請する」と書いてあります。

しかし書いてあるからと言って、当然そうしてくれると思うのはとんでもない間違いです。パスポートは外国でなくてはならない大事なものですが、それと同時にパスポートの文言《もんごん》に寄りかかってはいけません。

私たちの世代と今の若い人との大きな違いの一つは、憲法第二十五条の「すべて国民は、健康で文化的な最低限度の生活を営《いとな》む権利を有する」という文言の解釈だろうと思います。権利がある、ということと、国によってそれが保障されている、ということはまったく別物なのです。国があり国民があるということの意義は認めつつも、国や法律が自分自身の身の周りの様々なことまで守ってくれる、と考えるのは見当違いです。

もちろん、生老病死といわれる人生の「四苦」、心の中の苦しみなどは国の関知するところではありません。

「健康で文化的な生活を営む」権利はあっても、ある意味では空論にすぎませんし、平和憲法であるからといって、自分も憲法によって平和を保障されると考えてはならない。人は法律の文言の中で生きられるわけではありません。

裸で濁世《じょくせ》の中へ放りだされた存在にすぎないのです。

健康、安心、安全はあり得ない

あいかわらず「健康」が世の人々の関心事ですが、少し前には健康より治療、という時代がありました。

悪いところは人間の力で無理矢理にでも治そう、という治療は「躁の医学」といえます。もちろんそれは大切なことですが、それ一辺倒《いっぺんとう》になることの危険性から、あらためて養生《ようじょう》ということを考えるようになった。医学が治療ではなく養生の時代に入り、病気になってから治療するのでは、火事になってから消火器を買いにいくようなものだと考えるようになりました。

しかし、何か一つのことが体にいい、という「一件落着《らくちゃく》主義」は、すべて嘘だと覚悟した方がいいと思います。例えばサプリメントですとか、玄米さえ食べていればあらゆることがよくなるとか、背骨が曲がっているのは万病の元だから背骨を矯正《きょうせい》すればすべてがよくなるとか、いろいろな説があります。

しかし、これだけがほんとうで、それだけやればいいという考えはまちがいだと私は思います。

怪我《けが》をしたときは傷口を消毒してガーゼをあてる、それが今までの常識でした。しかし最近、競輪選手を診《み》ている医師などは、傷口は消毒せずに水道水で洗うくらいにして、ガーゼはあてずにラップでおおって湿度を残しておくといいます。

それから、以前は胃潰瘍《かいよう》になったら点滴栄養だったのが、今では流動食をとらせるか食事量をへらすだけだというし、術後は安静が当たり前だったのが、すぐその日から動きなさいといわれたりする。

こういう価値判断の転換というのは一つや二つの医療行為だけでなく、医学全体、経済、政治などあらゆる世界の全体で見られます。以前とは正反対の現象がでてきています。それぞれはバラバラに起きているように見えるけれども、どうもちがっていて、世界全体で大規模な価値の転換が起きていて、常識が通用しなくなってきているようです。

今まで常識とされていたこと、我々が頭からきめつけている常識というものを、根底から疑ってみる時期なのではないかと感じます。

いずれにしても、人は一人ひとりみな違うし、世の中はたしかに「複雑系」なのですから、一つのことには百万の因縁《いんねん》、仏教でいえば縁起《えんぎ》というものが積み重なった上で成立しているのです。

そういう意味ではだれにも分かりやすい近道などないし、完全な健康、百パーセントの安心・安全が何かによって保障されることなどあり得ないと覚悟すべきでしょう。

信じることと疑うこと

時代にも国家にも登山の時期と下山の時期があるように、一人ひとりの一生にも登るときと下るときとがあります。

古代インド哲学では、人間の一生を学生期《がくしょうき》、家住期《かじゅうき》、林住期《りんじゅうき》、遊行期《ゆぎょうき》の四つに分けて考えました。それぞれ季節で言えば春夏秋冬であり、青春《せいしゅん》・朱夏《しゅか》・白秋《はくしゅう》・玄冬《げんとう》ということになりますが、下りつづける後半生をどう成立させて締めくくるか、人生の成功も失敗も終わり良ければすべてよし、と考えれば、とても大事なことなのです。

最近はアンチ・エイジングがブームで、若い人と同じ格好をして野球帽をかぶって歩いたり、子どもと親が友だちみたいな感覚で同じ場所を共有したりする傾向があります。

しかし、いつまでも無限の成長をつづけるような人生はないのであって、折り返し地点にかかったとき、それをきちんと覚悟することが必要です。

吉田兼好《けんこう》は『徒然草《つれづれくさ》』で「死は前よりしもきたらず、かねて後ろに迫れり」と言いました。そして人間は、最後は一人で死んでいきます。夫婦であれ親子きょうだいであれ、他の人と一緒に死ぬことはできません。

だれでも最後は一人なのです。

しかし、そのことが分かっている人間同士が身を寄せ合って一緒に何かをしていくからこそ共同作業というのは尊いのだと、考えなければなりません。

キリストにも親鸞にもつうじるのは、父母や兄弟など肉親の関わりに過大な価値を見いださなかったことです。自分には父はない、母もいない。いま自分の話を聞いているこの人たちこそが自分の父母兄弟であり、家族なのだという言い方をします。

すべて物事は移り変わっていく。出会った人とは別れなければならない。夫婦も家族も、永遠ということはあり得ないのです。もしも永遠があるとしたなら、それは自分が死んで逝《ゆ》く世界しかありません。

近年、聖徳太子は実在そのものが疑われたりしますが、彼が残したとされる「世間虚仮《せけんこけ》、唯仏是真《ゆいぶつぜしん》」（常ならずうつろいゆくこの世は物語のようなもので、ただ仏のこころだけが真理である）という言葉のとおり、やはり世間は、ひとつのフィクションなのではないでしょうか。

それが合理的であると非合理的であるとにかかわらず、自分が信じて選択したもの、自分はこういう世界で生きていくのだときめたことだけは不変であろう、と考えた方がいい。そして、信じることと疑いをもつことの両方を両手に握り締めて生きていくしかないのだと思います。

人のために生きる林住期

私は前にある本の中で、人生百年時代が到来《とうらい》するなら、人生の後半は自分の人生を見つめなおし、人間本来の生き方を考えてみたらどうか、ということを書きました。

古代インドの考え方を、いまの時代にあてはめてみますと、人間というのは二十五歳くらいまでがさまざまなことを学び、トレーニングを積むための「学生期」です。それから五十歳までが、結婚して子どもをもうけて家族を養う「家住期」で、社会人、家庭人としての多忙な期間になる。

しかし、五十歳をすぎたら今一度人生をふりかえり、自分の生きたいように生きる、できれば自分のために働くのはやめて、無償でも人のためになることをする。それが「林住期」なのだと思います。そして七十五歳ぐらいからは、とことん自分を見つめる

「遊行期」であり、いつ来るかもしれぬ死を前に自然へ回帰《かいき》していく時期となります。

競争や出世や富はあきらめ、紙くず一つ、たばこの吸殻《すいがら》一つ拾うだけでもいいから、人のために働くことが、良き林住期と遊行期をもたらすことになる。いま現在の生活に追われていると、暴論のように聞えるかもしれませんが、やはりそれこそがいい下山の方法であり、老いるという作法ではないでしょうか。

そのようにして生きていく下山は、けっして賦役《ふえき》でもなければ、喪失感とか崩壊感覚の中の無残な日々でもないだろう、と私は思います。当然のことながら体も不自由になるし、記憶はどんどん脱落していきます。脱落していくけれど、余分な記憶は整理されていって大事な核心を選択していく過程ではないか。

この決断を、法然の時代は「選択《せんじゃく》」とよびました。口誦《こうしょう》念仏だけを選択して、それ一筋に頼っていくという覚悟です。それが法然や親鸞が開いた「専修《せんじゅ》念仏」という考え方です。そうやって「選択」することで余計なことをどんどんへらしてシンプルにしていく。それはある意味では非常に豊かで広い世界と無意識の関わりを増やしていく過程だろうというふうに思います。

「南無阿弥陀仏」という念仏は、サンスクリットの「ナーム（帰命《きみょう》する）」と、「アミターバ（無限の空間）」、「アミターユス（無限の時間）」から来たものだという。

人は生まれ、無意識から意識の世界へ大きく成長していき、意識の世界から無意識のふるさとへふたたび回帰していく。意識はへっていくけれども、無意識はふえていくのだと私は考えています。

ですから五十歳になって家住期を終わったならば、意識の世界から少しずつ引き揚げて、とりあえず人生を後半戦に切り換えるべきではないか、と思うのです。

第四章　日本人に洋魂は持てない

和魂漢才から和魂洋才へ

明治のはじめにヨーロッパから招聘《しょうへい》され、日本の教育に大きな功績のあったお雇《やと》い外国人教師は、帰国の際にこんな挨拶《あいさつ》をしたそうです。

「日本に来てほんとうによかった。人々には親密につき合ってもらえたし、多くのことが成し遂《と》げられてとても幸せだ。ただ、一つ心残りなのは、日本人が地上に咲いている花だけに関心をもち、土の中に隠れている根というものを見ようとしなかったことです」

聖徳太子以来、日本は長く漢文化の影響を受けてきました。自分が名刺を出すたびにいつも感じるのは、「これは漢字なのだな」ということであり、日本古来の字では書かれていないことです。

奈良や平安時代は、あらゆるものが当時のグローバル・スタンダードだった中国文明の影響を受けました。それがいまだにつづいているわけですし、私も漢字をよく使います。タイトルや文章の中に欧米の文字を使うことに、以前は忸怩《じくじ》たる思いがありました。

しかし今では流行歌のほとんどが、横文字名前のグループによって横文字のタイトルで歌われ、歌詞も英語だらけです。私たちの名前もふつうは漢字だけですが、カタカナ名の作家も最近出てくるようになりました。

結局、日本という国は、グローバルな覇権《はけん》大国の文化を取り入れながら生き残ってきたわけです。本であれインターネットであれ、見るかぎり文章の中心は漢字と平仮名ですが、その中にはカタカナや英字もあれば、数字は漢数字からアラビア数字、ときにはローマ数字まで混在しているありさまです。

それらをうまく集合して使いこなしているということでは雑居文明の国なのですから、やがて新聞が横組みになり、英語がもっとふえて半分くらいは英字になったとしても、さほど驚くことではないでしょう。

かつては和魂漢才《わこんかんさい》、明治以降は和魂洋才という考え方ですが、私たちの暮らす日本という国は、所詮《しょせん》どうあがいたところで世界の辺境にあるアジアの小さな国で、大国の甚《じん》大《だい》な影響を受けて生きてきたし、これからもそうだという覚悟が必要です。

ある時期にかぎっていえば、たしかにこの国がもつ技術力と経済力が世界で華やかに脚光を浴びたことがありました。しかし、だからといってこの日本が将来も世界の大国でいられるだろうというのは幻想です。いっとき悪い夢を見たとしても、再び赫灼《かくしゃく》として陽が昇るはずだなどと考えるのはナンセンスです。

いくら政府が対策を講じたところで、国民が高齢化して少子化が進んでいくのを止めることはできません。

人口がへれば大きな経済規模はいらなくなるし、次第に、静かに下っていくのが自然の理なのです。これからは国としても、下山の道をじっくりたどっていく姿勢が大事だという気がして仕方がないのです。

漢であれ洋であれ、私たちはその才は入れても魂は入れまいとしてきました。明治のころ、圧倒的に高度な欧米諸国のテクノロジーだけを取り入れ、ライフスタイルを真似ました。しかし、魂は「和」でいこうときめたのです。天皇制を国の中心、つまり魂として考えようとしたのもそのためでしょう。

では「洋の魂」とは何かというと、当時から世界でヘゲモニーを握りつづけているキリスト教文化です。そして日本人は先進諸国からキリスト教を根とする文明の花の方は吸収しても、その根は取り入れずに捨ててきました。

すべては「神の御名において」

テクノロジーはどしどし取り入れても、キリスト教文化の根には目をつぶっておく姿勢は、今日でもほとんど変わりません。

日本の戦後民主主義はアメリカによってもたらされました。ですからアメリカはデモクラシーの国であり、技術文明の社会であると私たちは思いがちですが、アメリカという国は実際には「神国アメリカ」といえるのではないでしょうか。

大統領の就任式では牧師が列席し、後ろで聖歌隊が賛美歌を歌います。そして大統領はアメリカ国民に対してではなく、バイブルに手をのせて「神の御名《みな》において」誓いを立てます。

そもそもアメリカという国は、独立の当初から、憲法から諸々の法律まで、すべてがその考えにもとづいて運営されています。

ですからアメリカがもっとも大切にする基本的人権は「天与《てんよ》の人権」とされ、それは人間がつくったものではなく、神から与えられた権利なのだという思想が根本にあります。したがって、民主主義というものも、神の御名における民主主義なのです。

翻訳劇やテレビドラマなどではほとんどカットされますが、裁判で証人が宣誓《せんせい》するとき、最初に「真実だけを述べると誓いますか」ときかれます。やはり誓う相手は陪審《ばいしん》員でも検事や弁護人、裁判長でもなく、神に対して真実を述べると確約するのです。

司法といえども神への信頼あってこそ成りたつもので、大統領の演説は必ず「神よ、アメリカを守りたまえ」で結ばれる。司法、行政、立法、三権すべてが神の御名のもとに執行される。

大リーグでも「ゴッド・ブレス・アメリカ」が流れることがあります。しかも、それまでゲームに夢中になっていた観衆が声をそろえて歌っている。もっと典型的なのはアメリカのドル札で、取り出して虫眼鏡《むしめがね》で見ると、「IN GOD WE TRUST」と書いてあることです。

日本では「日本銀行券」と印字してあります。しかしアメリカでは貨幣ですら「神の御名のもとに」発行される。経済の血液であるお金が、神の御名のもとに発行されるのですから、アメリカでは国家の体制から諸々の文化にいたるまで、すべてが神という大地に根をおろして育ってきました。

「ハゲタカ・ファンド」という呼称にはある種の嫌悪《けんお》感が含まれていますが、彼らの行動原理にも、やはり神への信頼と神からのクレジットがあるはずです。自由経済、自由競争、規制撤廃、市場原理の背景にあるのも神の存在です。

市場はほうっておくと弱肉強食の修羅の場になりかねないが、大きく秤《はかり》が傾いてしまったときには「invisible hand of God」、すなわちアダム・スミス以来の「見えざる神の御手《みて》」が働くはずだという考え方でしょう。

その確信があればこその自由競争、錦の御旗《みはた》を背負った市場原理なのであって、日本がそれを抜きにして、形だけ取り入れることがはたして正しいのか。ハゲタカよばわりされる外国資本の背景にも神の力が働いており、日本型企業に乗りこんできて大胆な合理化を達成したカルロス・ゴーン氏も、敬虔《けいけん》なクリスチャンでした。

いってみれば欧米諸国の資本主義は、一応は神の大義を背負ったシステムです。形だけの市場原理スタイルでは太刀打ちできるわけがありません。さらに日本人には昔から、金儲けは汚いことだという倫理意識がありますから、錦の御旗を背負った欧米の経済十字軍と向き合ってビジネスをするとき、どうしても猫背《ねこぜ》になってしまうのは当然でしょう。

根のないカルチャーを背負う宿命

日本でも根強い人気のあるプレスリーには賛美歌からとった歌が多くあり、ビートルズもルーツの一つにゴスペルという教会音楽を持っています。

テレビCMに使われたり、日本人がリクエストしたがる「アメイジング・グレイス」もやはり牧師がつくった賛美歌です。

ゴスペルソングは、リズム感があって気持ちが高揚《こうよう》するというので若い人たちに人気がありますが、ゴスペルとはあくまで教会で告げられる福音《ふくいん》であり、また黒人たちの霊歌です。いずれも音楽や人種問題などさまざまな要素が混ざりこんで変容していますが、根本的にはキリスト教の神を讃《たた》えたものなのです。

仏教にも、巡礼のときに歌う御詠歌《ごえいか》というものがありますが、一般にはうたわれていません。しかし、たくさんの日本人が神と神の子キリストに対する信仰に気づかぬまま教会で結婚式を挙げ、あるいはゴスペルを歌うというのは、いったいどういうことなのでしょうか。

形の上では似ていても、神の栄光、神の愛を歌う音楽と、楽しみの音楽というのは本質的にどこかちがいます。

先ほどふれたように、私たち日本人は明治以来、西洋文明の影響のもとにそれを取り入れて生活を西洋化してきました。チョンマゲを落とし、刀を棄《す》て、靴を履《は》いて、今ではほとんど変わりないような生活をしています。ただ、人が拠《よ》って立つ精神的支柱というものが欧米とは根本的にちがうということです。

洋才には洋魂がある。洋才と洋魂は不即不離《ふそくふり》なのだと私は思います。ですから欧米人がバッハの音楽を聴くとき、耳が肥《こ》えたクラシックファンでなくても、素朴《そぼく》な児童でさえ自己の根にあるキリスト教的宗教感覚を揺さぶられ、音楽技法上のテクニックや表現力を超えた深いものを感じているのではないでしょうか。

前にヴェルディのオペラ「運命の力」を聴きにいって、ずっと教会の場面がつづくのに退屈して、途中で出てしまったことがありました。声が素晴らしいとか演出が新しいとかいう以前に、どうしてもわからないという感覚があるのです。

欧米人と日本人では、感動する仕方が根底的に違う。そのことを私たちはしだいに理解するようになりましたが、理解はしてもそこには深い溝《みぞ》があります。

ヨーロッパの文明もアメリカの文明もキリスト教文化であり、それ以前にさかのぼると人類にはイスラム教的文化、ユダヤ教的文化、あるいは儒教的文化というものがありました。

世界文化の潮流として見ればパックス・イスラム、パックス・ユダヤ、パックス・儒教、そして近代はやはりパックス・キリストの時代です。これは前にふれたパックス・アメリカーナということではありません。

パックス・キリスト圏以外でも、イスラム教、インドではヒンズー教、社会主義中国では道教的な信仰が今も息づいているように、世界各国の人たちはそれぞれに自分たちの神を持っています。

しかし日本はフランシスコ・ザビエルが来てから四百五十年たっても、キリスト教人口はそれほど多くはなく、おとなりの韓国で多くの人びとがキリスト教徒になったのと対照的です。その点では、韓国の方が洋魂洋才で西洋文明を丸ごと取り入れ、これからもっと欧米に近いものになるのかな、という感じもします。

クラーク博士の「Boys be ambitious」という言葉は有名ですが、彼は明治初期に札幌農学校初代教頭に招かれたというだけでなく、もともと日本の若者たちを全てキリスト教に回心《かいしん》させようという強い情熱を持って来日しました。

教え子たちに聖書を配《くば》り、キリスト教的な教育を施《ほどこ》したからこそ、そのもとからは優れた日本人キリスト者が何人もでています。ですからクラーク博士の本心は、（神の御《み》わざを地上に実現することにおいて）少年よ大志を抱け、だったのであって、末は博士や大臣だとか、立身出世して成功せよという話ではありません。

私は、それは単なる誤解というよりも、やはり日本の文明の根本にある和魂洋才の姿勢ゆえだと思います。

夏目漱石は、「西欧の猿真似《さるまね》」をして「上滑《うわすべ》りに滑って行」くという形の文明開化に対して、日本人の本質を鋭く見抜きました。彼は、「これでいいのか」という警告を発しながら、一方では「涙を呑《の》んで」そうするのだとも書いています。

おそらく日本人は、どこまで行っても「才だけ真似て、魂は和魂でいこう」という考え方なのではないでしょうか。

キリスト教を抜きにして表面だけコピーしつづけることでは、明治以来、日本人は他に例がないぐらい上手《うま》くなりました。ただ、そうして根のないカルチャーを花として活《い》け、身にまといつづけるということをこれから先もずっとつづけていけるのか、どこかで破綻《はたん》するのかもしれない、そういう危機感を感じないではいられません。

文学における「神の視点」

『罪と罰』は、「プレストプレーニエ・イ・ナカザーニエ」というロシア語の原題を直訳すると「犯罪と刑罰」となります。しかし『カラマーゾフの兄弟』もそうですが、ドストエフスキーは、神なき世の中における人間の悪の可能性について、すなわちロシア正教の神が失われた現代での人間の罪を問うているのだと思います。

青年ラスコーリニコフが老婆《ろうば》を殺す罪というのは、やはりキリストに対する罪であり、罰とは神から与えられるものとして描かれています。

日本では遠藤周作さんをカトリック作家とよびますが、ジイドをキリスト教作家とはよびません。しかし『狭き門』は明らかにキリスト教的な文学作品です。

ドストエフスキーとは陰と陽の関係ですが、トルストイもやはり、最後までキリスト教思想の中で小説を書きつづけました。しかし彼も、日本ではあまり宗教文学として読まれているわけではありません。

直木賞の選考会などで、「この小説は神の視点で書かれている」という論議がなされることがあります。そのとき、それは小説技法、視点のことをさしています。

すなわち、本来は「彼はこんな表情をした」とは書けても、「彼はこう思った」とは書けないはずなのに、あらゆる登場人物の過去や経歴、状況と心理までをくまなく知っている万能の神のように描くスタイルです。

それはどうやっても人間には不可能なことをすることになります。いわば神の領域に立ち入って許されざることをするわけです。だからこそ、欧米の作家が「神の視点」を採用するときは、人に許されざることをする怖《おそ》れと意識をもって書かなければなりません。

あらゆる登場人物の心理を余《あま》すところなく描くという、ディケンズ以来の総合的な長編小説の手法は、本来は神の領域を侵《おか》す危険な仕事と考えられていたのです。

私たち日本人がテクニックとして見ている行為は、もともとそれほどに重いものですが、現在はそこまでの意識と緊張感をもつ書き手はいないようです。

ドストエフスキーの小説は初期の自然主義的な小説は別として、彼がシベリヤの収容所から帰ってきて以降は、あらゆるものが神と問答している感覚があります。しかし日本では、「アメイジング・グレイス」を神を称える歌としてではなく、音楽として心地いいから聴くのと同じような形で、明治以来『罪と罰』もすぐれた人間ドラマとして読まれてきたように思います。

ドストエフスキーの名声の背景には近代文学の多くの人たちの尽力《じんりょく》がありましたが、彼が人間の魂の深淵を描いた優《すぐ》れた作家だっただけでなく、生涯キリスト教的なミッションを自分に問いつづけた人間だったということはあまり注目されません。

日本人の罪の意識

あなたの宗教は何ですか？　と外国人に聞かれたら、何気なく「うちは○○宗です」と答えたりする人が多い。そして、べつに私はブディスト（仏教徒）ではありませんが、とつけ加えたりする。

しかし宗教文化の中で育った外国人にとって、信仰がない、というのは恐るべきことのようです。外国では食事の場では宗教と政治の話はしないのがエチケットだといわれますが、そんなことはありません。宗教であれ政治であれ、しばしば話題になります。

しかし、何も毎週日曜に教会に行くような厳密な信仰ではなくとも、その宗教文化の雰囲気の中で育ってきたということが大事なのではないでしょうか。

ですから盆暮れにお墓参りでもしていれば、「私はブディストです」と言えばいいし、家に神棚《かみだな》があるなら「神道《しんとう》です」、また時々気功にでも通っていたら「タオイズム（道教）です」と堂々と答えればいいのです。そうすれば相手も、なんて怪《あや》しいヤツだ、と不審《ふしん》がったりせず、まともに対応してくれるのではないでしょうか。

「無宗教で信仰がない」と言うと、「神がいないというのなら、他人が見ていないところでは何をするかわからないのではないか」という誤解が生まれます。しかし、日本人には昔から「お天道様《てんとさま》が見ている」というきびしい倫理意識がありました。

そもそも、ヨーロッパやアメリカで罪の意識というものが成立するずっと前から、日本では法然や親鸞が「罪業深重《ざいごうじんじゅう》のわれら」と言い、人間はすべて罪人《つみびと》であるという深い認識に立って、念仏信仰が生まれています。

西洋に先んじて、罪の意識を極限まで追究したのは日本人なのだという事実は、きちんと振り返って見る必要があるでしょう。

西欧の日本人に対する一般的理解は案外浅いところがあります。日本人は恥を知る民族だが罪の意識がない、などといわれますが、そんなことはありません。明治のはじめに長く日本に滞在し、質素、勤勉、清潔、礼儀など、当時の日本人が伝統的に備えていた高い道徳規範を讃《たた》えた外国人たちは数多くいます。

かつて外国の人たちが日本を理解するために読んだ古典といえば、新渡戸稲造《にとべいなぞう》の『武士道(The Soul of Japan)』、鈴木大拙《すずきだいせつ》の『禅と日本文化』、岡倉天心《おかくらてんしん》の『茶の本』、ルース・ベネディクトの『菊と刀』などでしょう。

私は、武士道というのは日本人が達成したじつに洗練された思想の一つと考えています。しかし、それは基本的に武士階級のモラルを説いたものですから、日本人の何パーセントが武士だったかを考えると、「ノブレス・オブリージュ」を課された少数エリートの思想に近いと思います。しかしそれは、職業的倫理としては見事なもので、「ノブレス」ではない他の階級の人たちが応用しても少しもかまいません。

茶道《さどう》もそれと同じように、昔も今も現実には富裕な特権階級の知的たしなみですから、実際に農民や底辺の労働者たちが喜んで茶会をすることはあまりなかったとしても、そこに流れている「わび」「さび」という感性はたしかにすぐれた文化だと思います。

『菊と刀』が刊行されたのは一九四六年でした。情報量が今ほど豊富でない時代に、日本を訪れたこともないベネディクトが、あれだけ深い分析をしていることにはほんとうに感嘆します。ただし、日本人の宗教感覚についてはだいぶ見解が偏《かたよ》っていて、資料だけでは分からなかった部分がたくさんあるのだな、という感じもないではありません。

禅は海外では日本文化の代表のように知られていますが、もともとは中国から日本に伝わった中国的な仏教の中の一つです。

また被差別民を含めた底辺の大衆からも圧倒的に支持された真宗は、基本的に罪障《ざいしょう》意識を根幹とした思想です。武士道として恥の意識を持つというのとはちがいますが、日本人に罪の意識がないという見方は明らかに間違っていると思います。

アニミズムとシンクレティズムの可能性

私たち日本人は、実はとても宗教的な民族なのだということを自覚しなければなりません。日本人が心性の深いところで持っているもの、それがアニミズム（精霊信仰）とシンクレティズム（神仏混淆《こんこう》）の二つです。

アニミズムは最も原始的な人間の信仰のかたちであるといわれてきました。自然界のあらゆるものに霊魂や精霊が宿り、何らかの意思をもたらしていると考えるのです。一方のシンクレティズムは、ことなる宗教や崇拝対象を自在にミックスさせてしまう多神教的な信仰形態で、家の中に神棚もあれば仏壇もあることが、一神教的な考え方からすればおかしいといわれてきました。

明治以来、日本の知識人は概してこの二つを日本の恥部とみなしつづけてきました。

しかし、ヨーロッパの底流にあるギリシャやローマの文明がそうであったように、ユダヤ教やキリスト教が成立する前の初期の宗教というのは、基本的に多神教だったといわれます。現代においても、エルサレムの「嘆きの壁」のすぐ横にはキリスト教の教会があり、サラエボに行くと、キリスト教、イスラム教、ロシア正教、ギリシャ正教などさまざまな教会が混在していて、あたかも宗教博物館を見るようです。

私は、これから先の世界は、キリスト教やイスラム教のような原理主義的な一神教ではもう持続していけないのではないか、と思ったりもします。

むしろ多神教的な、さまざまな信仰や崇拝のかたちが共生し、混在する世界を考えるべきではないか。そう考えると、日本人が自《おの》ずから持っているシンクレティズムは、これから先、平和な世界をつくっていくうえで非常に貴重なことではないでしょうか。

なによりも日本でいうところの「畏《おそ》れ」という気持ちが、二十一世紀の世界全体で失われている気がします。神道には、「かしこみかしこみまをす」という畏れの気持ちが根底にあって、森の木を切ることを畏れ、雷を畏れ、大雨を畏れ、自然を畏れるというのは非常に深い思想形態だと思っています。

神仏習合《しんぶつしゅうごう》を近代日本の恥部だと考える必要などありません。そもそも信仰は習合するものであって、キリスト教にしても、ドイツにはドイツのプロテスタント、イギリスにはイギリス国教、アイルランドにはアイルランド・カトリック、イタリアではローマ・カトリックという具合に、地元の信仰と必ず習合しています。

中国へ伝わったキリスト教である景教《けいきょう》の僧は、早くから日本にも来ていて、ときどき親鸞の思想が、プロテスタントの教義と似ているといわれることがあります。

たしかに阿弥陀如来を信仰する真宗には一神教的な性格がありますが、一方では「諸《しょ》神《じん》、諸仏《しょぶつ》、諸菩薩《しょぼさつ》を軽《かろ》んずべからず」ともいいます。

すなわち世の中に多くの母親がいるけれども、わが母はひとり、というようなものでその選択こそが大切なのです。つまり、あくまで選択的な一神教なのであって、他の仏様や神様を絶対に認めないわけではありません。

純粋な原理主義的一神教では、「我らの信じる神以外を信じるな」という姿勢になりますが、日本人が宗教において保ちつづけているシンクレティズムの感覚は貴重なもので、世界に広がっていく必要こそあれ、けっして恥ずべきことではないのだと思います。

昔から日本人は山を見ては「御山《おやま》」と崇拝し、きこりが山に入る前にはお祈りをして木乞《きご》いをしてきました。このようなアニミズム、あらゆるものに精霊を見る、「山川草木悉有仏性《さんせんそうぼくしつうぶっしょう》」という考え方は日本人のすぐれた感覚でしょう。

むずかしい理屈や教義など知らなくても、日本人には昔から自然に対する畏れがあります。雷にも雷様と「様」を付け、風神雷神とあがめたのです。これから先の地球環境の問題を考える上では大切なのは、二酸化炭素の排出量取引などではなく、自然全体に生命を見る姿勢なのではないでしょうか。

ヨーロッパやアメリカ流の自然保護というのは、これ以上空気や水を汚して森を破壊すると最も大事な人間の生活がもたない、人間を守るために自然を濫費《らんぴ》しないようにしようという考え方が根源になっています。

しかし、それではもうだめなのではないでしょうか。そうではなくて、草木の一本、一石、一草にも虫にも動物にも心があり、魂があり、仏性がある、森にも山にも命があると考える日本人の伝統的心性こそ、環境について考える上で根本的大転換をもたらす新しい思想として現代に大きな価値を持つのです。

先進国でありながら日本人が今なお備えているシンクレティズムとアニミズムの感覚は、人間にとって貴重な資産としてこの国の未来を支えていくものかもしれません。

これから先の日本は人口がへり、斜陽化し、産業は停滞していくのです。経済成長だ、ＧＤＰが世界で何番目だと誇るのではなく、日本人が大事にしてきた精神世界の恩恵とそれが持つ可能性を、あらためて国内にも世界にもメッセージすればいい。

ゆっくりと下降し、やがてはどこかに静かに着地する二十一世紀には、そういうことが大きな価値として歴史に残るのではないでしょうか。

第五章　他力の風にまかせること

自分の体の声にしたがう

仏教の一部では、人は四百四病《しひゃくしびょう》を抱えて生まれてくる、と考えます。俗に病は八百八《はっぴゃくや》病《びょう》といわれるように、人によって病気のあらわれ方も感じ方もさまざまでしょう。

私自身この年齢になりますと、もちろんいろいろと調子の悪いことはでてくるのですが、そのほとんどは老化現象だととらえていて、病院にはまったく行きません。個人的にも大の病院嫌いで、お見舞いもできるだけ行かないようにしているのです。

大学に入るときに一度だけ肺のレントゲン写真を撮《と》られましたが、私はこれを被曝《ひばく》体験とよんでいます。理屈でも何でもなく、私たちは日常的にいろんな形で被曝したり、大気中の汚染物質を吸い込んでいる。それによって遺伝子が傷ついたり、変化を起こしたりするのが大きな病気の原因なのだろうと自分では考えています。

三十代から四十代にかけて、私はひどい偏頭痛《へんずつう》に悩まされていました。たまらなく痛いものですから、なんとかしたいと真剣に考えていたら、偏頭痛が起きる前になると、ある信号が出てくることに気がつきました。

要は気圧の変動と関係があったのです。気圧が下がる気配があると、やがて口の中がベタベタしてきて唾液《だえき》がねばつく感覚が出てくる。それから瞼《まぶた》が下がり気味になって上方の視界が狭くなり、首筋の後ろが熱くなるという現象が出てきます。

ですからそういう信号が出てくるとアルコールをやめ、風呂には入らず、たくさん食べない、仕事は少し先へ延ばすというぐあいに自衛手段を講じました。それで偏頭痛を回避できるようになったのは、五十歳をすぎたころでした。

天気図を見て、大阪あたりに低気圧があって雨が降っているとだいたい六時間ぐらい、福岡なら十二時間ぐらいで東京に気圧の谷が来ることもわかってきた。病院には行かないときめていますから、自分で情報を分析し、自分の体の声を聞いて考えるわけです。

同じように、ぎっくり腰はふつう安静第一ですが、人によっては運動した方がいいこともあります。痛みや炎症は冷やすか、温めるか、血液の循環を良くするために風呂に入って腰湯《こしゆ》を使う方がいいか、どちらか迷うことはしょっちゅうありますが、そういう時はじっくり自分の体の声を聞いてみる。

歩いてみて少し苦しいならやめる、安静にしていて物足りなければ歩いてみるというぐあいに、体の声にしたがう。これらは自力でしているようでも、知識や自分の意思だけではどうにもならない働きがあるということでは、私にとって一つの他力なのです。

他力の声をどう聴き取るか

昔の人は自分の死期が迫ってくるのが分かったといいます。私も、動物には本来その能力が備わっているのだと考えています。

だいぶ前に私が飼っていた犬も、死の十日、あるいは一月くらい前から何か死を予期したような感じになっていて、ある朝、風呂場のタイルの上で横たわって死んでいました。動物の持つ死期を察する力、現代の人間にはそれが失われているような気がします。

体の異変を感じる能力も、体の内なる声、ひいては天の声を聞きとることができにくくなっているのだと思うのです。

伝説のように語られるエピソードですが、宮本武蔵は、名だたる剣客《けんかく》ぞろいの吉岡一門と果《はた》し合いに向かう途中、ある神社の前でふと立ち止まり武運を祈ろうとしたという。しかし、神殿に一礼して手を合わせようとした瞬間、武蔵は「やはり自分の剣を信じ、自力で勝たなければならない。神に頼むようでは負けだ」と思い返し、決然と拝むのをやめ、そのまま果し合いの場に向かって、決闘に勝利したといいます。

これについてある人は、「武蔵は神仏に頼ってなどいたのでは剣の道は極《きわ》められないと覚悟して、祈るのをやめた。だから自力を信じて勝ったのだ。やはり自力が大切である」と言っていましたが、私はそうは考えません。

そうではなくて、そこで武蔵の頭にひらめいた「神仏を頼まず自分の剣を信じて戦え」という声なき声こそが、他力《たりき》の声であると思います。神仏に頼んで決闘に勝とうと考えるのではなく、お前、頑張って全力を尽《つ》くせという声こそが他力の声なのではないでしょうか。

最近はあまり耳にしなくなりましたが、「人事を尽くして天命《てんめい》を待つ」という言葉があります。私はこれを、人事を尽くさんとするはこれ天の命なり、と勝手に読みかえています。つまり、自分は絶対に今これをやるのだと心をきめて思いたったとすれば、それは天から下った命なのだと考えます。

たとえば自分はどうも気がのらないのに、作品の映画化プランを持ってこられて、どうもピンとこない。でも周りの人たちから、あの人は実績もあり、優れた映画をたくさん作った名監督だから、願ってもないチャンスだとか言われると、最初の不信感をどんどん修正していってしまい、「じゃあ映画化をOKしよう」となってしまう。ところがこれでうまくいったためしはない。最初の「ピンと来ない」の方が天の命なのです。

人間というのは直感で「こいつバカか」と思っても、一流大学卒だと言われると「ほんとうは頭がいいのかな」と少しずつ書き換えていく。情報がインプットされることで最初の予感が消え、結局は失敗してしまう。

ですから大きな仕事、たとえば長編連載をはじめる前には、人間ドックぐらい入った方がいいのかもしれません。しかし、その仕事を自分がやろう、と思ったのは天の命を受けた結果です。書けという天の声がある間は、きっと書かせられるだろうと私は感じています。自分できめたから必ずやれる、ではなく、天の命が下れば「何がなくてもやる時だ」と覚悟するわけです。

べつに神がかりという大層《たいそう》なものではないし、私自身はスピリチュアル・ブームを信じません。その手の対談はすべておことわりしているくらいです。

ただ、何か自分の内外にある感覚をつかみとる、ということが必要なのだと考えています。他力の声というのは、自分の体の中から発せられる時もあれば、どこからか聞こえてくる時もある。これ以上飲んだら駄目だぞ、とか、これ以上食べてはいけない、ちょっと太りすぎだ、睡眠が足りない、生活のバランスが崩れている——、そういう声というか、予感を人間は大事にしなければいけないと思います。

人間は引き裂かれた存在である

数年前、ある地方で子どもの誘拐事件が起きたとき、学校で「知らない人に道を聞かれたら、走って逃げなさい」と教えたことが問題になりました。他人に道を聞かれて逃げ出すよう教えることが教育として正しいかどうか、という議論がありましたが、人間には身を守るための警戒心や注意力と同時に、やはり「信じる」ということも必要です。

これはとても難しいことですが、「信じること」と「疑うこと」、その二つを両手に持って生きなければならないのです。

じつのところ、私は「教え」としての仏教にはほとんど関心がありません。ただ感覚としての仏教というのは、非常に大事に思っています。仏教には「中道《ちゅうどう》」という考え方があります。これは相対立《あいたいりつ》する二つのどちらか一方だけに偏《かたよ》らない、しかしいつも真ん中にいればいいというわけではない。両方を大事にせよということです。

世の中は白か黒か、右か左か、保守か革新かで割りきれるものではありません。その中で人間は否応《いやおう》なしに選択を迫られることがあり、そのときは片方に行かざるを得ないわけですが、それでも常にその片側にいればいいとは思うべきではありません。

そもそも人間というものは、「生と死のあいだで引き裂かれた存在」です。ですから、知らない人に道を聞かれてどうするかと問われれば、走って逃げろというのと、困っている人には親切にしようという気持ちの両方から引き裂かれた中で、宙ぶらりんで生きていくしか仕方がないと覚悟するのです。

何かを信じる、というのは何かを選択することに他なりません。そして選択したら異議ははさまず、証明がなくてもそのことを信じていくしかないわけです。

仏教にしてもキリスト教にしても、宗教には非合理性が伴いますが、それを新しい科学や物理学を引いて説明するのは無駄なことだと思います。そうした理論や理屈を超えた次元に、非合理ゆえに我信ず、という信仰があるのであって、信じることに証明は不要なのです。

信じたら後悔しない。どうしても証明が要《い》るというなら、それは信じているのではなく、理解したということにすぎません。「理解する」と「信じる」とはちがうのであって、「信じる」なら「イワシの頭も信心から」です。

自分が信じることを選択したなら、それを信じて生きていくしかないというのも「覚悟」なのだろうと思います。

十二世紀後半、平安末期から鎌倉時代のはじめというのは、今と同じように価値観が大きく変動した時期でした。それまでの価値基準が何もかも崩壊して右往左往する人びとに向かって、法然は「念仏で人はすくわれる、阿弥陀如来がすべての人をすくってくださる」と言って大きな支持を得ました。

そして弟子の親鸞は、なぜ念仏を信じればすくわれるのか、その秘密を説明して欲しい、と乞《こ》うた人びとに「それは分からない。私は師の法然を信じてその教えのままに生きています。それでもし地獄に落ちたとしても後悔はしません」と答えるわけです。

つき放したような言い方ですが、信じる、とは裏切られても後悔しないということです。何かを信じたなら、裏切られることがあっても絶対に後悔もせず、責めもしない、それも覚悟なのです。ですから、今のような時代には、信じるということほど大事なことはないのかもしれません。

二〇〇七年暮れ、清水寺の貫主《かんじゅ》は一年を総括する文字として「偽」と書きました。たしかに、あらゆるものが実は偽《いつわ》りではないのかと思える時代です。しかし、だからと言って疑心《ぎしん》をいくら募《つの》らせても玉ねぎの皮をむくようなもので、きりがありません。

逆にそういうときは、自分の道を信じることが大切だと思います。理論やデータはああ言っている、世間はこう言う、けれど自分の内なる直感で何かを信じる。その「信じていく」を片方の手に、もう片方の手には「世の中は偽りの時代だ。青信号も平気で渡ったら危ないな」と、二つの気持ちを持つ。

両方に引き裂かれて、宙ぶらりんの状態だと感じても、私はそれしかないだろうと思うのです。

人は他力とあきらめる

私自身についていえば、生まれた世代のせいか、自分は十代のうちに少年兵として死ぬのだと当然のように思っていました。

予科練《よかれん》か幼年学校か、少年航空兵か少年戦車兵か、どれが一番早く戦争にいけるのか。

特攻機の操縦桿《そうじゅうかん》を握って、敵の空母目がけて急降下していくとき、最後まで操縦桿を標的に向けて押しつづけていられるか。瞬間的に手前で逃げてしまうのではないか。年がら年中そんなことを考えては、夢の中でもうなされたものでした。

ですから敗戦を知ったときは、「あ、もう死ななくていいのか」と妙な虚脱感を覚えた特殊な世代です。ただ、戦争、そして敗戦を経験して分かったことは、どんなに人間がバタバタ努力したところで、そこにはまったく及びもつかない大きな力が働いていて、人間は荒波の中を必死で泳いでいるつもりでも、大きな潮には流されつづけるのだということでした。

体験として感覚として、最初から自力の限界というのは見えていた。人間は、流され、翻弄される存在なのだという思いは、トラウマのように心の底に残っています。もっとも、他力という思想を自分の生き方として意識的にも選ぶようになったのはずっと後年のことでした。

七歳年下だった私の弟は、二十七年前に亡くなりました。金沢を引きはらって上京し、目の回るような私のマスコミ生活を、片腕として支えてくれた弟です。彼の口癖は、「まあ、いいじゃないの」というものでした。

今から思うと、仕事や世の中に鬱屈《うっくつ》してときに怒りを抑えられないとき、幾度も耳にしたその言葉にも、他力の声があったように感じます。

かつてニューヨークで出版された『TARIKI』は、アメリカ人にとってはどうにも理解しがたい考え方だったようです。自分がガンになっても最後まで近代医学を信じて医師とともに病気と闘い、途中で手段がなくなったとしても最後まで闘ってこそ人間は美しい、自立自尊の人間にとってセルフヘルプが大事なのだというアメリカ人は、他力という思想をどう考えればいいのかとまどったのでしょう。

自他一如という智恵

迷信みたいなものかもしれませんが、私は子どものころからさまざまな呼吸法をつづけてきました。父親は昭和に大流行した岡田式静座法に凝《こ》っていたこともありますが、その父が買った中山式ベルトというのがあって、お腹に巻いて深呼吸してグッと下腹部に力を入れてふくらませると、チーン、と音がする。

子供のころから腹式呼吸に関心があって、小学生の頃は防火用水に顔を突っこんで何分息をとめられるか、よく友だちと競っていました。これは断息行《だんそくぎょう》というブッダがやった苦行《くぎょう》の一つで、ほんとうは体によくないそうです。

私はいつもチャンピオンで、今でも、洗面器に顔をつけて三分ぐらいは息をとめていられます。自分自身で意識している体中の不具合はたくさんありますが、いずれ天の命があれば、なるようになるだろうと考えるたちなのです。

禅宗でも浄土宗でも、「自他一如《じたいちにょ》」といいます。自分は他であり、他は自分である、すべてはつながりの関係性のなかで存在しているのであって、自力も他力も最後は一緒なのだと考えますが、私は仏教の教義として他力と言っているわけではありません。

ただ人間には自然の限界、天寿《てんじゅ》があって百歳まで生きる人もいれば、五十歳という人もいる。長生きはいいことでしょうが、いくら養生をしたとしても寿命というものはあります。どんなにジョギングをして健康に気をつかおうと、天寿には逆らえないという気がします。

そう考えてみると、多くの人が短命だった時代にブッダが八十歳、法然も八十歳、親鸞が九十歳、蓮如が八十五歳というのは、ものすごい生き方だっただろうと想像します。

二十世紀文明の特徴というのは、やはり「傲慢《ごうまん》」ということではないでしょうか。ルネサンス以来のヒューマニズムには、どこか人間が自然より上位にあるという発想がありますから、畏《おそ》れ敬《うやま》うという感覚に欠けるところがあります。

人間が地上のすべてを理解でき、ガンも退治できるし自然災害も防げる。そして環境もコントロールできるという人間の傲慢さを脱ぎすてて、謙虚になることが必要なのだと思います。

科学と技術であらゆることを征服していく考え方では、もうこれ以上持続し得ないところに来ました。医療に自分の体を丸ごと預けないというのは、自分の体が語りかけてくる感覚を大事にすることです。自然に対しても、自分の体についても畏れ敬う、体の声にしたがうというのはそういう他力の考え方なのです。

近年、「世界は複雑系である」という思考様式が広まりました。要は、一つの原因から結果ははじまるのではなく、ありとあらゆることが複雑にからみあっているという考え方です。天気から世の中、人はじめそれぞれ生命体まで、すべてにその考え方はつうじる。私はその考えに賛成です。

世間の人たち、とりわけジャーナリズムは物事を黒か白で言いきろうとしますが、物事というのは絶対に割りきれないものです。

たとえばヨットが航海する時は順風だけではなく、いろいろな角度から風を受けて右に左にぶれながらも、ある方向を目指していきます。風が吹かなければいくら手で漕いでもヨットは動きませんが、風が来たらいつでも動けるように帆を張り、風の動きと変化を注意して見ている必要はある。

とても微妙な関係性ですが、それと同じように人が自分を守るというのはまったく他力ではあり得ないものの、しかし天寿というものには逆らえない。やはり自力と他力の二つの間を揺れながら、目標に向かって動いていくしかありません。そしてあなたは自力か、他力かと問われれば、私は他力を大切にしたいと思っているわけです。

人間は自立することが大事だといいます。しかし今こうして地上に立つだけでも、地球の重力がなければ、猛スピードで回転している地球から、遠心力で放り出されてしまうでしょう。極端なことを、と思われるかもしれません。しかし、地球に下の方へ引っ張る力があるからこそ立っていられるのであって、立っているのは自分の力ではない。

結局、どうしたところで自力には限界があるような気がします。私には人をけしかける気はありません。社会主義の幽霊であれ、資本主義の断末魔《だんまつま》であれ、やはり他力なのだと考える人間にとって、あらゆることのすべては自力で成し遂げられるという考え方は、幻想としか思えないのです。

第六章　老いとは熟成である

闇の大切さ

第三章でふれたように、いかにアンチ・エイジングに憧《あこが》れようとも、老いにアンチはあり得ないことは覚悟しなければなりません。

人が老いていくことは一つの自然な流れであり、やがて迎える死は命の完結です。むしろ、「老い」という言葉にもっと良い意味を見いだす必要がありそうです。「老い」を「衰え」ととらえるのではなく、秤《はかり》のバランスのように、片方が衰えたとしても片方では質量が高まっていくのだと考えたいから。ヴィンテージ・ワインと同様に、やはり人間には熟成されるべきものがあるのです。

かつて通っていた奈良の斑鳩《いかるが》のある寺のご住職が「奈良の闇は深いでしょう」とよく

言われたものでした。今でこそパチンコ法隆寺とか法隆寺カントリーといった看板が夜の闇を照らし出していますが、そのころはほんとうにおそろしいほど真っ暗闇でした。

日本の地方を画一的に明るくしたのははじめガソリンスタンドでしたが、今ではコンビニエンスストアがどこに行ってもあります。北陸の能登へ出かけてもコンビニがあちこちにあって、かつての深い闇夜を知っている人間にとって隔世《かくせい》の感があります。

三十年以上前、私は小説のタイトルに、青春、という、いかにも手垢《てあか》にまみれた言葉をあえて使いました。それは一つの逆説のつもりでした。

中国には四季を表すのに青春《せいしゅん》・朱夏《しゅか》・白秋《はくしゅう》・玄冬《げんとう》という言葉があります。これはワンセットの思想であって、青春の次には真っ赤な夏、その後ろには白秋が見え、白秋の背後には黒々とした冬が控えているというパースペクティブの中で考えると、青春という時期はじつに哀切に感じられてくるのです。

人が生きている喜びを謳歌《おうか》する時は、それがやがて失われる時が、かすかに後ろに見えていてこそ一層鮮烈に感じられるのではないでしょうか。

ですから死への意識、老いへの意識は常に大切にしなければならない。単眼的ではなく、喜びの裏側にある哀しみ、感動の背景にある寂寥《せきりょう》感というものを同時に感じるということが大事なのです。

道教学者の福永光司《ふくながみつじ》さんの話によれば、玄冬の「玄」とは暗くて黒い中にかすかな赤みがさしていて、そこからまた新しいものが始まる、いわばブラックホールみたいなものだそうです。幽玄《ゆうげん》、玄妙《げんみょう》といいますが、荒涼たる真っ暗闇とはちがう、深く艶《つや》やかな黒です。この玄なる世界に入った人間は、青春や朱夏の人たちとは論理も発想も行動も、当然ちがうのではないでしょうか。

フィジカルからメタフィジカルへ

ヨーロッパで若い人たちのバカンスの遊び方を見ていると、そのタフネスぶりに驚かされます。朝がた三時四時まで酒を飲んで大さわぎしていて、六時ごろにはもうヨットで海に出るとか、常識外れの楽しみ方です。

欧米のプラグマティックな考え方では、老いというのは廃物のようになっていくことだという感覚があるのでしょう。一神教的な世界では物事は一方方向へ進んでいきますから、年をとればいろんなことができなくなる。だから今はすごく短い時間なのだと意識して、後ろから追われるように生き急いでいる感じがします。

最近の日本の若い人にもそういう傾向は見られますが、それははたしてよいことなのでしょうか。

昔から日本人は、自然も人間も変わりゆく常ならぬものであると覚悟してきました。フィジカルな存在からメタフィジカルな存在へ、目に見えるだけの世界からそうではない精神的な世界へ移っていくことが、若者から老人への変化だと考えてきたのです。

ポリネシアなど太平洋の島々では、今でも昼は人間たちが活動する現実の世界、夜は精霊とその一族が活躍する夢の世界ときちんと分けているそうです。彼らは一日という言葉を使わず、一つの昼、一つの夜と数えるそうですが、それと同じように活動的な昼の一日を終えた老人たちは、精霊たちの夜の世界へ入って聖なる存在と化していくのだと考える。

ですから、ときどき認知症の気配がみえてきた高齢者が、変わった言動をしても、そのうち何か大事なことを予言してくれるのではないか、と考えて大事にするという。

今ではメタフィジカルなもの、目に見えない精神的なものは扱いに困るだけで合理的ではない、という人が多いようです。

年をとっていくにつれて、能に出てくる翁《おきな》のような、どこか聖なるものへの意識が生まれてきます。「常に死を意識した人間が持っている不思議な威厳と静かな誇り」という表現が、リルケの『マルテの手記』という小説にありました。

ネイティブ・アメリカンの老酋長《ろうしゅうちょう》などが、誇り高い表情をしているのも、そのせいかもしれません。迫ってくる死を身近に意識し、残りの生を自覚して体に刻み込んだ人間、それが仮に何か滑稽な様子であっても、やはり神に近いものなのです。

玄なる世界での関係性

『梁塵秘抄《りょうじんひしょう》』には、「女の盛《さか》りなるは、十四五六歳廿《にじゅう》三四とか、三十四五にし成りぬれば、紅葉《もみじ》の下葉《したば》に異ならず」という流行歌が残っています。平安末期では、女性のピークはせいぜい二十代半ばで、三十代半ばではもう落葉間近、というのが常識でした。

また中世から戦国時代のように人生五十年といわれたころは、三十歳くらいではっきりと死を意識しています。

現代人に宗教は必要か、という問いはよく耳にしますが、それとは別のところで、必要な年になれば人はなにかを探すものなのです。

人に宗教的なものへの関心が生まれるのは、やはり死を意識した時です。大きな病気をするとか、戦争に行くとか、宇宙へ行ったとか、特別な体験をした人を別とすれば、多くは五十歳をすぎてからということになります。先輩や友人が死んだ、同窓会の仲間がへったなと思う時に、人は何か永続する世界との関係性をもとめるのです。

人間の関係性が変化していくこと、目に見える関係性から、しだいに目に見えない関係性へと変化していくこと、目には見えない時代の移り変わりや、生命や自然の大きな流れというものに関心が向くのは自然なことでしょう。

そして老いが「玄なる世界」へ入っていくことだとすれば、既成《きせい》の約束事や常識的な論理というものからは外れていきます。しかし、頭の中に入っていて邪魔《じゃま》でしょうがない記憶をふるい落としていくことも、人間にとって大事だと思うのです。

そうしながら、今までとはちがう目に見えない世界との関係を作っていくということを、自我や能力の崩壊と恐れるのはまちがっている。

老いていく中で、どんなふうに見事にぼけていくか。身体的、頭脳的にもぼけが進行し、あるがごとき、なきがごときに過去と現在の記憶が入りまじって、周囲との関係が保てない状態になっていくとしても、その人間はだめになったのではなく、人間の始原《しげん》のふるさとへ帰りつつあるのだと思ってはどうでしょうか。

人間は、老いとともに知識や情報はへっていくが、その分だけ智恵は深まるのだと思います。智恵というのは、何も処世術みたいな単眼的なものではなくて、大自然の中に自分がすっと溶けこんでいけるような、味わい深い複眼的な感性のことです。

老いることを、エントロピーが増大して無残に衰えてだめになっていく過程と見るのではなく、煩悩をどんどん振りはらって純粋化していく過程と見たいのです。

死は汚辱ではなく自然へ還ること

日本では「死穢《しえ》」という言葉が、中世の貴族社会あたりから定着してきました。

昔の京都の貴族の御屋敷では、家からは死穢を出さないという禁忌《きんき》があり、奉公人が死にそうになると鴨《かも》の河原《かわら》へ連れていき、握り飯と飲み物を置いてござを敷いて捨ててきたという。

親鸞の思想の中で面白いと思うのは、そういう迷信じみたタブーをまったく恐れないところで、吉日とか凶日とかも一切認めない覚悟です。

現代においても、座席や客室番号で数字の四は使わないといった形でつづいていますが、人間は死を内包しているという考え方そのものが、穢《けが》れという言葉とともに嫌われてきました。だからこそ、自殺が全国紙の一面トップで十年連続三万人超と報じられることが異例に感じられたのでしょう。

十九世紀から二十世紀は戦争の世紀で、アウシュビッツ収容所でのユダヤ人虐殺をはじめ、死は悲惨と汚辱《おじょく》とともにありました。そのせいもあって、現代人は中世以降では特別なほど、死を恐るべきものと考えています。

日本では、死は冥界《めいかい》へ落ちることだという考え方が強いせいか、「ご冥福《めいふく》を」などと言います。今の人は何も考えずにこの言葉を使いますが、じつは冥土は暗い土の下で蛆《うじ》虫《むし》がわいているようなところです。それに対して、浄土教的な思想では光り輝く浄土というところへ行くと考えるから、本当は「冥福」は一切使わずに「ご浄福《じょうふく》を」と言うべきかもしれません。

この言葉のちがいは大きなことです。死がそのような穢れた世界への転落、沈没だという考え方はもはや切り捨てなければなりません。

親鸞は「往還《おうげん》」という言葉を使いました。つまり、往路《おうろ》の「往」と還流《かんりゅう》の「還」です。人は人として生まれてこの世界に生きて、やがて他力によって浄土へ生まれ、さらに志のある人間は菩薩道《ぼさつどう》を実践するために、衆生《しゅじょう》の利益《りやく》に働こうとこの世界へふたたび還《かえ》る。

行きっぱなしではなく、また行っては戻るという、一種の振り子の運動、「スウィング」を繰り返すことが大切だと考えます。

私はこれを死後の話だとは考えません。真の信仰を得た人間は一度この世で死ぬ。そして回心《えしん》によって再生する。往相還相《おうそうげんそう》とは、そういうことだと私は考えます。

前にふれた登山と下山になぞらえるなら、登山は往相《おうそう》であり、下山は還相《げんそう》で下界へ戻るということです。麓《ふもと》の下界から出発した人間が、頂上をきわめて下山していって麓へ戻る。これで一つの往還は完成したものだということです。

ですから、世に出て人間として生き、少しずつ身に受けた人間の世界の垢《あか》、いろいろなものを洗い流して身を軽くしていくのが老いの道のりであり、純粋な赤子のような存在として自然に帰るのが、死ぬということなのだと私は思うのです。

親鸞が得た「自然法爾」

親鸞は極貧《ごくひん》生活の中で、門徒から少しばかり送ってもらう糧《かて》だけでかろうじて命をつなぎ、九十歳まで生きました。

真宗の内でも外でも、その思想は終始一貫、整然として一分の揺《ゆ》るぎもなかったような扱いをされていますが、かつての「現人神《あらひとがみ》」でもあるまいし、そんなはずはありません。あの時代にその年齢まで生きていれば、どう考えても最後の何年かは記憶も曖昧になり、論理性という面でも衰えていた部分もあったはずです。

親鸞とて人間ですから、青年期は相当混乱して悩みもしただろうし、五十歳、六十歳ぐらいまでに自分の思想体系を完成した後は、おそるべき博覧強記《はくらんきょうき》ぶりも多少は衰えていったことでしょう。

親鸞といえども、晩年には世間的に見れば考え方に齟齬《そご》が生じていたり、矛盾や混乱もあったのにちがいないのです。しかし、私はそれを親鸞の深い思索性や鋭い論理性が失われたとは考えません。もっと奥深い智恵、大きな自然の息吹《いぶき》のなかへ還っていこうとするスピリチュアルな過程だったという気がします。

親鸞は事実、七十代半ばをすぎてから、多くの仕事を残しました。これは凄《すご》いことです。俗世間で得たものを捨てていく中で、魂の智恵のようなものが見事に清浄化され、最後はすべての人為をはなれて自然にまかせる「自然法爾《じねんほうに》」という最高の境地に達しました。

「法爾《ほうに》」とは人に働きかける見えない力のことです。つまり「おのずとしからしむる大きな力」のこと、すなわち他力のことです。漱石が言った「則天去私《そくてんきょし》」という心境にも、それと似たものを感じます。

時系列や言動が無秩序になれば、外見的にはエントロピーが増大しているように見えるでしょう。しかし、じつは人間としての魂はどんどん清浄化されていっている。自我というものが崩壊するのではなく、昇華《しょうか》していくのだろうと私は考えていますし、老いとはそういう人間として大切なプロセスでもあるのだと覚悟することです。

他者の面倒を見ずに人は生きられない

これからの日本では高齢者の人口比率がものすごくふえてくるでしょう。そのことは悲観的にとらえられています。

老人をへらして、医療費もへらし、活力に満ちた若い社会を作ろうというのが今の政治家の発想のようですが、青春期の人間を青年というなら老年といわずに玄年《げんねん》、後期高齢者などといわずに玄齢者《げんれいしゃ》とよんでもいいのではないでしょうか。

若さを、活力を、と望むのは分かりますが、日本だけでなく、世界的な規模で一つの文明が大きな終息へ向かいつつある、という現実があります。すでに書いたように、日本は敗戦の時を〇歳とすれば、走りつづけた戦後五十年と十年ばかりの惑《まど》いの年を経て還暦をすぎ、緩《ゆる》やかに後期高齢者への道を歩んでいます。

それを無視して、まだまだ頑張ればなんとかなる、と煽《あお》るのは、自然の循環というものにさからった考え方ではないでしょうか。

二十一世紀は一神教の世界から多神教の世界へ変わっていかなければならない、と私は前に述べました。

他の神々を認め、さまざまな神様がいてかまわないのだし、もちろん人間の生き方は一つでなくていいのです。子どもの生き方、青年の生き方、壮年の生き方、初老の生き方、老年の生き方があり、老年期の生き方にも価値を見いだすのです。

ベッドに拘束《こうそく》されて失禁したままの状態を、生きている価値があるとは思えないと人は言います。それは生産性に重きを置く社会の基準であって、げんに未開とされる社会で、老人が尊敬されて幸福そうに生きていることを見習うべきだと思います。

私の岳父《がくふ》は脳梗塞《のうこうそく》で倒れてから二十年近く生きましたが、先進医療では、経管《けいかん》栄養だけで運動もせず日にもあたらなくても、それだけ生きつづけてしまいます。大学の同級生にも、意識のないまま三十年も介護されながら生きている人がいます。

そういう話はだれにもあるでしょうが、周りの人たちが、そういう人たちを抱えてともに生きていくという意識を、どう育てていくことができるでしょうか。

最近読んだ『「痴呆老人」は何を見ているか』（大井玄、新潮新書）という本の中に、アルツハイマーに関するアンケート調査が出てきます。そこでは、日米の差がはっきりと出ていました。

アメリカ人は自分の主体性が失われるから、治療は嫌だと考えている。日本人は周りに迷惑をかけるから、それを避けたいと思う。周りに迷惑をかけたくないという、人を気づかう気持ちは大切ですが、これからは新しい意識をつくりだす必要があるのではないでしょうか。

痴呆状態、アルツハイマーといわれる状態は、たしかに周りの人にとっては相当負担になることで、介護する家族は大変かもしれない。しかし現代は、それへの対応の仕方に問題があるのかもしれません。

大井さんの書かれているように、日本でも沖縄などでは、痴呆老人は悠々と、穏やかに周りから尊敬されながら幸せに生きている。意識がうすれるとか、記憶が曖昧《あいまい》になるとか、動作が緩慢になるとかいうことはけっしてマイナスではなく、迷惑でもない。ただ、そういうものを嫌悪《けんお》するばかりできちんと扱わないから、周囲に対して反抗的になり、トラブルをもたらすのだという考え方です。

お年寄りを尊敬する社会、年を重ねただけでも偉いのだと考え、やはり自分も長く生きることを考えた方がいい。ぼけて寝たきりで、そんな形でかろうじて生きている人間に生命の尊厳はあるのか、という問いもあるでしょう。

しかし、私は「ある」と考えます。その人たちをケアすることによって、自分の生も保たれると考える。仏教では「菩薩行《ぼさつぎょう》」といいますが、人の面倒を引き受けることなしに人は生きてはいけないし、自分一人の面倒だけ見て生きる人生などあり得ません。

世の中には、若さに比して老いというものは荒涼たる惨《みじ》めなものだ、という考えが強いようです。しかし、先ほどふれた往還の往路と復路、その復路をたどって最後のふるさとへ、ゆっくり進んでいくことが大事なのではないでしょうか。そのふるさとは大宇宙かもしれませんが、そこでの論理は、普通の世界とは違う次元のものなのです。

ぼけ老人の行動を周囲が理解できないのは、ふつうの常識で考えるからです。人間はみなそういうものだと考え、老いてゆく人たちを尊敬をもっておだやかにゆっくりと見守る。

老いた人にとっての時間と、若い人の時間とではまったく意味もスピードもちがう。それを教えてくれるのが、老人の生きている姿です。

みな老いていくのですが、それと同時に、人が老いていくということは、何か大事なことをしていくのだと考えなくてはなりません。年とって痴呆になって、とんでもないことばかり言って困る、と見てはいけない。老いた人間ときちんと共生する社会こそ、健全な社会と考えなければならないのです。

そういう意味で、財政のために高齢者を切り捨てていくような国は、ほんとうの社会的成熟とは、反対の方向へ進んでいるといわざるをえません。もっとゆったりとした時間の中で、老いた人たちが社会の一部に組み込まれているべきだと私は思います。

最新の知識や情報は持っていなくても、ある意味で、自分たちには思いもつかない智恵や感覚を持っている人たちなのです。くりかえしますが、若さに価値がある、老いにはないという考え方はもはや捨て去った方がいいのではないでしょうか。

老いというのは人間の関係が喪失していく過程、人との関わりがへっていって、やがて孤立してしまう過程なのだといいます。そうすると、還暦を超えたような主婦たちが民謡教室やフラダンス、バスツアーなど次から次に新しい人間の関わりをつくり出すのは、希薄《きはく》になりがちな周囲との関係を維持しているということでもあるのでしょう。

やはりそこでも大事なことは、自分が人に何かをしてもらうのではなくて、他の人に頼られ、自分が役に立っているという感覚です。ほんとうのアンチ・エイジングの価値は、唯一そういうところにあるのかもしれません。

フィレンツェとヴェネツィアで見たこと

イタリアのフィレンツェで、ある有名ブランドショップに入ったときのことでした。きらびやかな店内に一人の精神を病《や》んだ変なおじさんが入ってきて、奇矯《ききょう》な声を上げながら、ショーウィンドウを指さして冷やかしはじめた。日本ならばすぐさま警備員がとんで来て連れ出すところですが、イタリア人の女性店員たちは、ニコニコ笑って話しながら、うまく誘導して外へ送り出すのです。

別にそういうマニュアルがあるからという対応ではなくて、ごく自然体で相手をしていることに、すっかり感心してしまいました。

つまりイタリアのような国では、アブノーマルな人たちを隔離《かくり》してしまうのではなく、自分たちの中に抱えこんでいるのが社会だという感覚があるのだと思います。

これもやはりイタリアのヴェネツィアでしたが、船着場の目の前にＶＩＰが泊まるような豪華なホテルがあって、その前で労働者たちが工事や塗装で立ち働いている。そこへ真っ白なクルーザーが着くと、船着場からホテルの玄関まで赤い絨毯《じゅうたん》がさっと敷《し》かれ、パラソルをさした貴婦人たちが、お付きにたくさん荷物を持たせてロビーへ歩いていきます。

それを見て汗まみれで半裸《はんら》の労働者たちが、口々にブランド名を言い合うのですが、その表情にも口調にも羨望《せんぼう》や嫉妬がまったくなくて、むしろ真夏の盛りにご大層な格好でたいへんだな、という感じなのです。

そこには階級的憎悪はありません。この世の中、この世界には貴婦人もいれば労働者も犯罪者も、精神や身体に障害を抱えた人もいる、いろいろな配役の人たちがおおぜい雑居しているから面白いのだという感覚があるのだと思います。そういう混沌とした坩堝《るつぼ》のような世界の中に、私たちは一体として存在しているということです。

近代的自我というものは、自分と他人とは別だと考えたがるのですが、大きな生命体の中に細胞がたくさんあるように、私たちはその細胞の一つにすぎません。しかし人間が一体であると考えれば、細胞はみな助け合って生きていくわけですから、それは自他を区別しないほうがいいような気がするのです。

「子ども叱るな、昨日の自分。年寄り笑うな、明日の自分」といいます。そういう俗な諺《ことわざ》の中にも、じつは人間は一体であるという意味が込められています。

老いと脳死への疑問

医療が進歩した今の時代は、百年生きることを覚悟しなくてはならなくなりました。「人生五十年」時代の倍です。

私は以前から、男にも更年期があると言いつづけてきました。十年ほど前までは、友人の医師たちにも、「教科書で習ったこともないし、悪い冗談だ」と笑われたものです。しかし、女性が更年期を迎えて子どもを産まなくなって変わっていくように、今ではホルモン分泌をはじめとして男性の更年期が医学的に証明されてきました。

動物だったら生殖能力がなくなれば終わりですが、人間はそこから更年期があって、さらに生きつづけます。自分もまた意図せずして点滴や経管栄養、胃ろうで生きつづけていくかもしれない。その時に人間としての尊厳をどこにもとめるかと考えてみます。

免疫学者の多田富雄《とみお》さんの名著『免疫の意味論』（青土社）で話題になった実験を紹介

します。

——鶏の卵の将来脳に発展するところに、うずらの卵核細胞の遺伝子を移植しておく。誕生してくるひよこはうずらの要素を盛り込まれているため、頭のてっぺんの毛が茶色いとか、ピー、ピーと一声ずつ鳴くはずが、ピッピピーと三分節でうずら式の鳴き方をする。やがて成長していって、うずらの免疫体制が発展してくると、それが脳に対して、これは自分の脳ではないという命令や指示を出す。そして、ついには脳が壊れてしまい、ひよこは死ぬ——。

人間の中心は脳であるといわれますが、多田さんは、脳死状態になった人でも身体の免疫機能は作動していることを明らかにしました。脳が命令することで免疫活動がおこなわれるわけではない、免疫機能と脳とどちらに優先的な命令権があるのか、となると免疫システムの方が人間の命を長く支配しているともいえます。

脳が人間の感情から行動まですべてを支配する、思考から喜び、悲しみなどの感情などいわゆる「心」のほとんどが脳にあるというのが最近の常識です。

しかしそれでも、脳は免疫システムに指示はできない。脳が強制できないのに免疫のシステムは脳を否定できるということは、免疫のシステムが生きているかぎり、人は生きているのではないか。

　脳よりも上位の指示機能が免疫システムの中にあるとすれば、脳死の後でも免疫システムはしばらく動いているわけです。多田さんの説では、心臓が止まり、肺が止まって脳が動かなくなった時に、人間の我というものをきめるのは免疫のシステムだということになる。自己以外のものを排除するためにはまず自己を確定する必要があり、それを決定するのは免疫なのだというのです。

　これを読んだとき、私は少々ショックを受けました。

　そうなると、脳死が人の死という判定に疑問がでてくるし、植物状態の人間にも免疫の働きはある以上、その人間は生きていると考えるべきだろうと私は思います。

　人間は、たとえ意識がないように見えても、魂、というとおかしいかもしれませんが、目に見えない、科学的に証明できないものを持っているようです。

　それを含めて私たちはその人を介護し、ともに抱えこんで生きていくことで、人間の全体的な生存状態が確立されるのだろうと思います。

　だからこそ、人は常に自分にとっては厄介な、自分以外のものをケアしながら生きていかなければならないと私は考えているのです。

野口晴哉さんに見た天寿

野口晴哉《はるちか》さんが考案した野口整体は、とても面白い思想です。その整体法は昭和のころに一世《いっせい》を風靡《ふうび》し、今でも信奉者がたくさんいますが、彼の著した『風邪の効用』（ちくま文庫）によると、下痢と風邪は体の大掃除で、体のバランスが崩れかけた時に風邪や下痢をすることで平衡《へいこう》を回復するのだといいます。

下痢し終えた後とか、風邪を回復してクリアした後の爽快さは、それ以前の不快さから解放された格段の気持ちよさがある。ですから、ゴホンといったら喜べということで、風邪もひけない体になったらバランスを取り戻すこともできないから、もうおしまいなんだという考え方です。

私も以前は、わりとふだんから注意して風邪をひかずに来ていましたが、時には風邪をひかなきゃだめだなと思って、意識的にでも年に二度ぐらいは風邪をひくようにしています。

ただ野口さんの説では、ひくならきれいにひかないといけない。ひきはじめは風呂に入ろうが、仕事しようがかまわないが、風邪が下り坂に転じたときにこじらせると長引いてどうにもならなくなる。風邪も着地がむずかしいから、その後半に全神経を集中しなさいというのです。

たしかに、一週間ほどできれいに風邪をひき終えた後の爽快感は、何ともいえません。お腹をこわしても風邪をひいても回復期が大事であって、うまく病を終えることが下山を完結させることなのです。人間という生き物の見方がとても深みがあって面白いと感じますし、そういう意味で私は野口さんを尊敬しています。

しかし、その野口さん自身は、六十四歳で亡くなりました。野口整体の本の解説も書かれていた作家の伊藤桂一《けいいち》さんとは吉川英治文学賞の選考委員会でご一緒でしたが、かなりの高齢であるのに、作品内容もしっかり読み解き、言語も知的で丁寧、私がかねがね尊敬する大先輩です。

ある時その伊藤さんに、「あれだけたくさんの人を治せたのに、なぜ野口さんは六十代で亡くなったのでしょうか」と失礼を承知で聞いたところ、「いや、野口式を自分で実践していなかったら、二十代でとっくに亡くなっていますよ。野口さんは子どもの時から病弱で、この子はちゃんと育たない、とずっと言われていた人ですから」とおっしゃるのです。

野口さんは晩年、自分の体の具合が悪くなっても、人から頼まれれば必ずとんで行って治療をなさったそうです。中国の気功では、自分の気を具合の悪い相手に出してどんどん自分の気が荒れて疲れるので、療法士一人が診るのは一日に数人だけだという人もいます。

野口さんは一人でも多くの人をすくおうと東奔西走《とうほんせいそう》して、そのために倒れてしまったと考えると、これこそまさに菩薩行《ぼさつぎょう》というべきでしょう。

しかし、だからこそ天寿の倍も永《なが》らえた、と考えます。だれにでも天寿はあるが、それをまっとうするか、倍生きるか、あるいは半分で死ぬか、そこが問題なのだ、そう伊藤さんに教えられて、私もようやく納得がいったものでした。

最終章　人間の覚悟

引揚げの光景

私は日本人であることを誇りに思っていますし、日本という国を愛してもいます。しかし、国家であれ行政であれ、そういうシステムはほとんど信用していません。

敗戦の夏、私は十二歳で平壌《へいじょう》（ピョンヤン）の街にいました。その時、唯一の頼りだったラジオ放送は、治安は維持されるから市民は軽挙妄動《けいきょもうどう》を慎《つつし》んで市内にとどまれ、と繰り返し放送していました。

私の一家も他の多くの家族と同じようにぼんやりと指示に従い、そのまま残っていたのですが、その間、高級軍人や高級官僚たちとその家族は、家財道具を山のように積み出して、平壌の駅からどんどん列車で南下していたのです。

一般市民は「動くな」といわれておとなしくしていたところ、やがてソ連軍が入ってきて、家は接収《せっしゅう》され、みな難民収容所のようなところへ押しこめられ、交通は途絶して列車も動かなくなりました。

それ以来、私は、地震や津波が来たりして政府が「動くな」と言ったらすぐ逃げるつもりですし、逆に「逃げろ」と言ったら動くまいと思っています。どれだけ国を愛していても、政治のシステムが民衆を最優先にするとは考えませんし、たとえば新型インフルエンザは心配ない、と言われたら逆だろうと考える。

国家とは常に逆に動くぞ、と反射的に思うようになってしまったのです。

ソ連軍が進攻してきてからのことで、どうしても忘れられない光景があります。

引揚げはいっこうにおこなわれませんでした。希望もなく、食糧もなく、伝染病がはやる。このままでは死ぬしかないという状況で、南下を企てます。

その北朝鮮から命がけの脱出行に二度目に成功して、私たちは何とか三十八度線を越えることができましたが、三十人ぐらいずつの集団行動ですから、たとえ夜でも途中のチェックポイントで必ず捕まってしまいます。

するとソ連兵は、必ず「女を出せ!」というのです。グループには世話役がいてだれを出すか相談するのですが、女学生みたいな娘を出すわけにいかないし、子どもがいる母親も出せない。

結局、それではあの人を、と言ってみんなの視線が集まるのは、水商売をしていた女性や未亡人などになります。それからみんなでその女性に頭を下げ、手をついて、しかしなかばは脅かすようにしてソ連軍に二人、三人と渡すことになる。

翌日、明けがたになって女性はボロボロになって、もう死んだように呆然《ぼうぜん》として帰ってきます。中には、そのまま戻って来ない人もいました。

けれど戻ってきた女性たちを、それですくわれた人たちが合掌《がっしょう》して出迎えるかというとそうではない。逆に、子供に「悪い病気もらってきたかもしれないから、近づいちゃ駄目《だめ》よ」と囁《ささや》いて遠ざけようとする人もいたのです。

そんな光景を見て、あれだけ誇っていた日本人の愛国心とか同胞意識なんてこんなものか、と思いましたし、その時腹の底から感じた不快感は、いまだに強く残っています。

やっぱり、人間ギリギリのところでは同胞に対してもけだものになるのか。自分もこれからこの罪をせおって一生生きていくのだ、と体の底から感じたものでした。

当時、そのようにして引揚げてきた中で、釜山の日本人会が調査したところでは、二割ほどの女性がさまざまな被害をうけていたそうです。

博多や佐世保に上陸したところで女性は検疫を受けます。性病にかかっている人もいれば、不法妊娠といって外国人兵にレイプされて妊娠している人もかなり多かった。

不法妊娠が分かると、壁や床のコンクリートがむきだしになった軍の施設で、堕胎《だたい》手術がおこなわれたそうです。施設は福岡の郊外にあって、医師は広島やソウル、当時は京城《けいじょう》といいましたが、そこの医学生その他の有志たちです。そのころはまだ堕胎罪が生きていた時代ですから、みな医師免許取り消しを覚悟の上でのボランティアです。

それでも女性が故郷へ引き揚げてからのことを考えると、処置せざるを得なかったのです。麻酔薬もない、激痛を伴う手術ですが、途中で「やめて！」とわめく人はひとりもいなかったそうです。

元日本赤十字の看護婦長にうかがった話では、そうやって堕胎された胎児たちは施設の桜の木の下に埋められたといいます。しかし野犬が掘り出すので、しかたなく他の場所へまとめて埋葬されたとききました。

現在はそこに老人ホームが建っていますが、その桜の木はまだ残っています。当時、どのくらいの堕胎手術がおこなわれたかもわからないそうですし、そういうことも、いずれは引揚げの資料の中から消えてしまうのだろうと思います。

そうした極限状態を通り抜けてしまうと、平和な時代になっても、常にどこか違和感を覚えながら生きざるを得ないし、それが自分の生き方に影響していることは否定しようがありません。しかし、それはある意味では、時代を背おった体験でもありました。

親鸞は、人はみな悪を抱えて生きている、人はだれもが悪人である、と言ったわけですが、私にとっては、引き揚げて生きて帰って来られた人はやはり皆悪人です。「お先にどうぞ」と他人を逃がそうとするような優しい心の持ち主は、みなボートに乗れずに置き去りにされ、途中で倒れてしまった。エゴイスティックに人を押しのけ、人を犠牲にして走った人間だけが生き残ったのですから、生きのびて、引き揚げてこられた人間は全部悪人なのだ、そういう意識は一生、自分の中から消えることはありません。

こうして生きている自分も悪人なのだと覚悟しています。自分は悪人であり、悪を抱えた人間であるという意識の中では、すべて悪人もすくわれる、という親鸞の言葉が、自分にとっては唯一の光でした。

悪人ではないという傲慢

親鸞は、人間は悪人であることを覚悟した上でこそ、念仏による弥陀《みだ》の救済が生まれてくると言いましたが、悪の覚悟、悪人の覚悟、自分が悪であるという意識をもたずに、生きていくということは、本来不可能だろうと私は思います。

アウシュビッツでの虐殺はナチスの非人道的残虐行為といわれますが、あの当時ヨーロッパの各地にあった収容所に列車で運ばれるユダヤ人の姿を、キリスト教圏の人たちはみな見て、何がおこなわれるのか知っていたはずです。

ポーランドの子どもがクリスマスを祝って歌う「クリスマス・キャロル」には、罰当たりのユダヤ人、罪深いユダヤ人、などという歌詞が見られます。ヨーロッパの人たちすべてが、ヒューマニズムの視点だけでナチスを断罪できるものではないだろう、と私は思うのです。

悪、といわれると、なにかどす黒くて底意地のわるい感じがして、自分がそれに染まっている悪人だといわれると嫌な気持ちがするでしょう。しかし、日本のように経済的に豊かな国に住む人が、貧しい国の人びとへもたらす結果的なしわ寄せだけではなく、私たちが生きていることで、直接的な影響もいろいろあるではありませんか。

暑いの寒いのと年中不平を言いながら、冷暖房を使って快適にすごす。面倒だからと何でも車を使って排ガスを出している。そこで自分が悪をなしているという意識はもちにくいかもしれませんが、現代人はどうしようもない「arrogance」、つまり傲慢《ごうまん》にとらわれています。

だからそれをやめるべきだとは言いません。しかし、人間はＤＮＡの二重螺旋《らせん》構造のように、善と悪の両方を内包して、悩みながら生きていくしかないのであって、少なくとも、そういう悪を抱えて生きているという意識のかけらぐらいはもつべきだろうと思います。

ウナギが中国産か、国産か、鶏肉や牛肉が何等級か、食品を偽装したとか使い回したとか、そういうことには私はさして関心がありません。一つの理由としては、そんなことは昔からあたりまえなのであって、世の中はそういうものだと覚悟しなくては駄目だろうとも思いますし、結局、すべての人は悪人であるというのと似て、人間は動物であれ植物であれ、多くの命を犠牲にして生きざるをえない。

他の命によって生かされている存在として、そうそう傲慢になれないという気がするのです。

文化の罪深さ

日本では古代奴隷制、すなわち奴婢《ぬひ》の制が崩壊した後、中世にいたってしだいに奴隷制はなくなったといわれます。しかし、中世の奴隷制についてくわしく調べてみると、それは公奴婢《くぬひ》という公の国が持つ奴隷がへっただけであって、逆に地方の豪族や金持ちが、私奴婢《しぬひ》というプライベートな奴隷としてそのぶんを受けついでいくわけです。

これは近世にはじまる被差別制とはべつの問題で、私的な奴隷というのは、下人《げにん》といいました。売買や相続あるいは譲渡の対象にされる人びとです。この奴隷に子どもが生まれると、彼らも主人に隷属《れいぞく》する持ち物となり、譲《ゆず》り状《じょう》というものを介して売買の値段まできめられていたのです。

中世、あるいは平安末期から鎌倉期にかけては三つの共通点があります。仏教の興隆、歌舞音曲《かぶおんぎょく》の流行、それともう一つが奴隷制でした。したがって、その時代には目をうばうような格差が生まれ、さらにつけ加えると男色行為が秘めごとではなく、既得《きとく》の文化のようにして堂々と広がった時代でした。

歴史をふりかえってみると、絢爛《けんらん》たる文化というのは、権力と富が偏在する格差社会の中で絞られた、万人の涙と汗と血の中からしか生まれてこないもののようです。明治以来の軍国主義の中でも、公《こう》・侯《こう》・伯《はく》・子《し》・男《だん》といわれた華族階級と三井や岩崎をはじめとする財閥が残したものばかりが、現在でも文化財として残っています。古くは東大寺の大仏にしても、インドのタージ・マハールであれ、神社仏閣《じんじゃぶっかく》や聖廟《せいびょう》であれ、超高層ビルが次々と建てられるのも、権力と富の偏在、格差社会の遺産にはちがいないのです。

ピカソの芸術を例にとってみても、その時代のアートとその時代の思想、民衆の感情は密接に結びついています。そして、いつの時代でも、みんなが幸せな時代にはピラミッドのような偉大なモニュメントは出てこないのです。

そう思うと、文化遺産というのは、そもそもたいへんに罪深いものなのだと思います。

人間は一貫して情の生き物

少し前に精神科医の香山《かやま》リカさんと対談しましたが、彼女は情動の重要さは認めつつも、人間は理性的なスタンスをくずしてはならない、という立場のようでした。

しかし私は、人間の情動というもの、知識や言葉としてではなく、人間に内包され蓄積されたルサンチマンなるものを非常に重く見ています。

情動は、六〇年代、七〇年代はしばしば話題になった言葉ですが、やはり人は情動的に行動することの方が、理論的に行動するよりはるかに多いのです。

香山さんは、とくに知識人や科学者は情に流されず理性的に進む立場を捨ててはならないと自戒されているのですが、私はその立場にうなずきつつも、やはり情を大事に思う気持ちは捨てきれませんでした。愛国心というのもどう分析したところで、結局はまったくの情動なのだし、だからこそ私は情を問題にするのです。

痴呆老人たちの中では、内容はまったく論理的でなく情報として意味を成さない会話でも、一緒に楽しく話しているうちに親しくなる、「偽《にせ》会話」現象がよく見られるといいます。

すでに述べたように、私は人間が老いてぼけること、理性的な崩壊が人間の崩壊だとは考えません。情理という言葉でも「情」が「理」に先んじるように、怒り、悲しみ、嘆き、喜びなど、そういう情動が、人間の行動や能力を支配する大きな要因なのだと私は思います。

ですから、ギョーザの中に毒物が入っていた事件で、日本人が中国に対していっせいに敵意と偏見を持ったのは、明らかに情の動きでした。理屈からいえば、毒ギョーザは膨大な中国産食品のごくごく一部にすぎません。

それでも、「理屈としてははっきり言えないが、なんか嫌いだ」という情動の強さがそこまでの騒ぎを起こしたのです。人種的偏見なども結局は理性的判断とはちがう次元の問題になります。

そういう情動を「まちがっている」と切り捨てるのは簡単でしょう。しかし、歴史について考えるとき、人間にとって情動がいかに大きいかを覚悟しておくことは大事なのだろうと思います。

もう一つつけ加えると、トルストイが言ったように、「知識人や芸術家は一介《いっかい》の農夫に学ぶべき」なのだという気もしています。いかに優れた知識やセンスを持っていても、彼らが自然とともに生きていく中で養い、体得している情念にはかなわないものがあると思うのです。

中国の有名な戯曲『屈原《くつげん》』に出てくる、「川の水が澄めば冠《かんむり》の紐《ひも》を洗うがいい。水が濁れば足でも洗うがいい」という一漁師の言葉にも、深いあきらめと智恵を感じます。

ボランティアは石もて追われよ

一九九五年に阪神淡路大震災が起きたとき、ボランティアとしてたくさんの人が被災地に向かいました。

若い人たちの中には、骨を埋める覚悟で行くという人もいるほど熱気があったのに、地震から二、三年も経つと、その人たちが私にこぼすようになったのです。「はじめは涙を流して喜んでいた人たちが、そのうち慣れて小間使いのように自分たちをこき使う」、「やってくれるのが当然という態度で、ありがとうの一言もない」など。

しかし私はこう思うのです。「それは君たちがまちがっている。そもそもボランティアというのは、最後は『石もて追われる』存在であるべきなのだから」。

よく似た例として、革命家について考えてみます。革命家というのは、チェ・ゲバラも毛沢東《もうたくとう》も、ほんとうに貧しい最底辺の労働者や農民の子ではありません。どちらかというと良家の子弟がなるものです。父親がアル中で母親が借金で首が回らないような生活を見た子は、革命という理想に一生を捧げてかまわない、とは思えないものですから。

ロシア・マルクス主義の父といわれたプレハーノフはレーニンに追放され、ゲバラもカストロに対して身を引くような形で、最後は他国での革命運動の最中に処刑されました。ゲバラなどは、今も若い人たちの間で非常に人気があります。

結局、革命家というのは、最後は民衆に吊《つ》るされるか、「石もて追われる」か、次の権力者に追放されて失脚するのです。ボランティアも同じで、ほんとうに自らの身を投じて仕事をすれば、ついには追われるのが自然です。

最後にみんなから大きな感謝とともに送り出される、などと考えてはならない。「もう帰っていいよ」と言われたら、「はいそうですか」と帰ってくればいい。いい体験をさせてもらいました、ありがとう、と心の中でつぶやきつつです。そう覚悟してこそボランティアなのだと思います。

バイブルにあるように、キリストは「良きことは隠れてせよ」ということを言いました。中国でも「陰徳《いんとく》」という考え方が古くからあります。

もっと言うなら、良きことはむくわれない、愛もむくわれないのだと私は思っています。良いことをすれば相手が感謝してくれる、愛した分だけ愛されて当たり前、と見返りをもとめるからストーカーになるのであって、人の想いはつうじない、と覚悟しておくことです。それでもしだれかが、「ありがとう」と言ってくれて、もし相手に想いがつうじたなら、狂喜乱舞《きょうきらんぶ》すればいいのです。

本田技研を一代でつくりあげた本田宗一郎《そういちろう》さんは、もっぱら技術屋みたいな顔をしながら、人に知られぬように苦学生に巨額の奨学金を出しつづけていました。死後になってそれが公《おおやけ》になりましたが、そういうことが大事だと私は思います。

私は、盛大な慈善事業をする人たちの善意は信じますが、その催《もよお》しに参加したことはあまりありません。人のことは言いたくないのですが、お寺の紹介パンフレットにスポンサーの社長の写真や文章がでかでかと載《の》っていたり、海外の美術館に日本企業の看板がかけられ、「この会社のサポートで建築された」などと大書されているのをみると、「良きことは隠れてせよ」も、「陰徳」もずいぶん遠くなったな、と感じています。

何でもいいから世のため人のため

秋葉原で事件を起こした青年は、携帯電話で、彼女がいないということを延々《えんえん》と書きつらねていましたが、彼は、相手から何かをしてもらうことばかり期待しているから、ああなったのではないでしょうか。

人間関係というのは、相手につくすことしか考えてはいけないと思うことがあります。女の子と恋愛すれば、男はひたすらつくす。しかしそれで相手から何か得られるとは最初から期待しないことです。それぐらいは常識として覚悟し、もし相手から少しでも「ありがとう」という言葉が返ってきたりしたら喜べばいいし、もし恋人としてつき合えるなんてことになったら欣喜雀躍《きんきじゃくやく》すればいいのです。

男性の仕事は女性に対しての奉仕につきる、と私は思っています。彼は肉親だから何かをしてくれるはずだとか、どれだけ周りが自分のことをよく思ってくれるかばかりを気にするのではなく、自分自身はどれほど家族や周りの人のために無償《むしょう》の行為をしているのか、そこを日々反省しながら生きるしかないでしょう。

携帯電話やパソコンで、毎日膨大《ぼうだい》な文字量を交換しているのに、どんどん人のつながりがうすまっていく状態というのは、バーチャルな世界でしか他人と接触できないということでもあります。

携帯電話の掲示板に期待して、だれも見てくれないから注意を引くためにどんどん過激なことを書かざるを得なくなり、ついには実行しないと今度はボロクソにいわれると考える——異次元の空間で自己肥大化して破綻《はたん》すると、結局は現実の生活の中で破綻をするということになります。

人間というのは、生身の付き合いが大事であることはいうまでもありません。しかし、生身の付き合いだからこそ、五分五分の関係だと思うべきではない。

昔の人は、「積善《せきぜん》の人に余慶《よけい》あり」といいました。良いおこないを積んでいればどこかで余慶があるといいますが、それでも余慶はあの世での余慶であって、この世でのことではありません。

これは金沢のあるお寺で聞いた話ですが、ちょっといい話なので紹介します。

――ある時とても美しい娘さんが訪ねてきて、「わたしはもう生きている甲斐がないほど悩んでいます」と言う。「自分で言うのも変ですが、子どもの頃から人に顔が美しいとそのことだけをほめられます。実際には成績は悪いし運動神経もよくない、バカで能なしの、ただきれいなだけの自分に嫌気がさして、生きている価値がないと思い悩んでいます」

すると坊さんは、「いやいや、そうではない。あなたが美しく装って道ゆく人ににっこり笑えば、相手は、今日は何ともきれいな人に会ったなと、それだけでもうかさついた心に春風が吹いたような気持になる。美人を見るのはうれしいものです。実のならない花も花なりで、あなたはお洒落《しゃれ》をして、美しく花のように生きればいいのです」と笑っていった。それでようやく安心して、帰っていった、という羨《うらや》ましいような話なのですが、私もこれはいい話だと思います。

仏教には「無財《むざい》の七施《しちせ》」というものがあります。「和顔施《わげんせ》」は笑顔でにっこり笑うこと。「眼施《がんせ》」というのはじっと相手を見つめ、言葉にならない声を受けとめようとすること。それから「言施《ごんせ》」は、言葉を尽くして相手を慰め、「大丈夫だよ」といって安心させること。

日常的なことでも、老人に席を譲る「牀座施《しょうざせ》」や、自分の体を使って人に奉仕する「身施《しんせ》」、他人を思いやる「心施《しんせ》」、寝場所をあたえる「房舎施《ぼうしゃせ》」と、お金がない人でも、だれかのためにできることはたくさんある。

自分の存在自体に、何か世のため人のためになることがあるのを、忘れてはいけません。私自身、美しい人を見ると何となく心がなごむし、すごいミニスカートを見たら、あれもお布施《ふせ》だな、世間に対する施しの一つだとありがたく思うようになりました。

よく大ぼら吹きと言いますけど、仏教でいう「法螺《ほら》」は、大事な教えを広めるために人々をよび集めるということで、「法螺を吹く」は弘報宣布《こうほうせんぷ》のことです。

お世辞というのも否定的にとらえがちですが、「世辞」は、よいことを言って人を元気づけることです。人の欠点ではなくいいところを見つける、世の中の肯定的なものを探し出して、相手を勇気づけ、ほめるのはご利益がある大変いいことなのです。大いに法螺を吹き、すすんで世辞を言うことにつとめなければなりません。

淡く流れる人との付き合い

この人とはほんとうに一生付き合っていきたい、と思ってもなかなかそうはいかないものです。

文壇の大先輩に対しても同じで、井伏鱒二《いぶせますじ》さんの会にも同業者を通じて何度か誘われたこともありましたが、結局、加わらずに終わってしまいました。今はとても残念な気がします。縁がなかったということでしょう。

親鸞は、弟子一人もつくらず、と言いましたが、それは結局のところ、人は一人でいく、ということなのではないか。

人間の縁というものも、あまり密着すると非常に難しいことになるのです。それを敗戦後二年近くかかった引揚げの中で体験してしまったせいか、人とは淡くつき合おうというつもりで生きてきました。

　ですから私は、人に裏切られた、と思ったことは一度もありません。親しくなって期待するのはいいのですが、どうしても甘えが出てしまいます。「これだけしてやったのに、なんだ」と思うよりは、まず一応はあきらめることにする。

　ボランティアではありませんが、自分の勝手で好きでしているのだから、それに対して相手が石を投げてこようと怒ろうと、仕方がないと考えているのです。

　どんなに大事な友だちがいたとしても、いつかはいなくなります。永遠の友人というのは、思い出の中にしかいません。

　人との交流というのは、流れない池になると腐ってしまいますが、流れている川はきれいでいられます。どんな作家にも古くからの愛読者がいると思いますが、彼らはいつも同じイメージで読もうとしますから、それを外れたことはしてほしくないと思いがちです。

　たとえばあるフォークソングの歌手は、六〇年代フォークのスタイルを頑固に守りつづけています。ですから、いわゆるコアなファンが多いのですが、それ以外のことにチャレンジすると「何だ、堕落《だらく》じゃないか」とファンに言われる。そこであえて三十人足らずのライブハウスでも歌いつづける。色々な可能性を持ってはいても、そうやって貫き通すのも一筋の道ですから、私もそれはそれでいいのだと思います。

私が『日刊ゲンダイ』で「流されゆく日々」という連載をはじめてから、三十三年目になりました。これはかつて愛読していた石川達三《たつぞう》さんの『新潮』という雑誌の連載エッセイ「流れゆく日々」のもじりなのですが、私は石川さんみたいに、自分の位置を定めてどっしりしていられる人間ではないし、いつでも転がる石みたいなもので、時代とともに塵芥《ちりあくた》のように、何かに流されている受身の姿勢を表してつけたタイトルです。

そんなに前から受身なのかといわれそうですが、実際そういう思いで毎日生きて、何かしらを書きつづっているのです。その連載エッセイにも、おそらく「もう俺は五木は卒業した」と言って出ていく人がいるはずです。そしてまた「意外と面白いこと言うな」と新しく入ってくる読者もいることでしょう。

五十歳ぐらいで出家した鴨長明《かものちょうめい》は『方丈記《ほうじょうき》』の中で、「ゆく河《かわ》の流れは絶えずして、しかももとの水にあらず。よどみに浮ぶうたかたは、かつ消えかつ結びて久しくとどまりたるためしなし」と言いました。

私も、流れは絶えずして読者はもとの読者にあらず、というつもりでずっとつづけてきました。

人との付き合い、友情はただ長ければいいというものではありません。世間は「人脈」という言葉が好きなようで、趣味の人脈、仕事に役立つ人脈、人脈作りの場を作る、などとさまざまなことをいいます。

しかし私は、人脈を人とのつながりと置きかえれば、しょせんは自分で作ろうと思って作れるものではなく、見えない力によってもたらされるとしか思えないのです。

いつも気の合う者同士で群《む》れることがいいとも思いませんし、新鮮な出会いも必要です。昔から馴染《なじ》みのある交遊関係ももちろんありますが、私の場合は、そのうち半分はすでに亡《な》くなりました。

固定しないというのが、人の付き合いの中で大事だと思います。ですから私は、ほんとうにこの人間とは親しくなりたい、あるいはなりそうだと予感した時は、あまり近づかないことにしているのです。

荘子《そうし》は「君子の交《まじ》わりは淡きこと水の如し」といいました。自分が君子だというつもりはさらさらありませんが、油のような濃密な付き合いは長くつづかないものです。

あれほどの親友同士だったのに最後はけんか別れ、ということは歴史を見ても常に繰り返されています。一心同体のように親しくなるのを避け、ずっと長く一緒に付き合っていきたい人とは、意識的にある距離を置くようにしてきました。

ですからたとえ夫婦の間でも「失礼」「ありがとう」「すまないけど、それを取ってくれ」という言葉づかいは、絶対かかさないようにするほうがいい。「おい」「うん」「取って」ぐらいで片づけてはいけないと思います。

私は今のマンションに住んで四十二年ですが、周りもどんどん老夫婦になってきました。旦那さんが死んでも奥さんはみんな元気で生きているのに、奥さんが死ぬと旦那さんは判で押したように死んでしまいます。

これからの時代、自分でできる覚悟の一つとして言えば、できることは一つ一つ自分でやる、ということではないでしょうか。

薄氷を履《ふ》んで一人生きる

余談ながら、都内のホテルで、時どき故城山三郎さんご夫妻にお会いすることがありました。城山さんは何でも奥さんにまかせきりのかたでしたが、それはそれでじつに息の合った良いカップルでしたから、うらやましく見ていたものです。

四国のお遍路《へんろ》さんたちは「同行二人《どうぎょうににん》」といって、いつも何か目に見えないもう一人のだれかが巡礼の連れなのだと考えますが、私にとっては、一人の旅でも多くの人と出会うことがたのしみです。

ひと月のうち半分以上はどこかを旅して歩きまわっていますから、自然とそうなったところもありますが、旅の最中は一日の友が友人です。次に会ったときは名も忘れてしまっていますが、そこで出会った人を一日の友人と思って、大切に感じるようになりました。

定住できない旅人は、ある意味でいつも孤独です。人には定住型とホモ・モーベンスという非定住の遊牧型があって、私はずっと山窩《サンカ》とよばれる日本の漂泊民に共感と憧れを抱いてきました。自分自身にとってもそういう暮らしをしている方が向いているのだと感じます。

私が働いている文筆の世界には、授賞式や出版記念パーティーが山ほどありますが、めったに出席しません。

人のお葬式にもできるだけ行きません。作家が死んだ場合は、その人の本をその晩、一冊読むということを慣例にしています。私自身は、葬儀場で手を合わせられるより、そのほうが作家にとってありがたいことだと思うからです。

どんなに親しい友人ともいずれは別れることになる。どんなに愛し合った恋人でも、結婚して夫婦として仲良く長く暮らそうと、いずれは別れなければなりません。

私自身、実感としてそう感じる年齢になりました。親しかった友だちが次々に亡くなり、あれもいなくなった、これもいなくなった、と弔電《ちょうでん》ばかり打っています。それは私が孤独になっていくということでもあり、なんとなく寂しい気はします。

しかし、それはどうしようもない孤独感ではありません。今の若い人たちに多い、大勢の仲間とにぎやかに日常を暮らしたいのにそうできない、という意味の孤独とはちがって、最後は一人で歩いていくのだからこれでいいのだ、というおだやかな孤独感です。

小林秀雄さんは、ある講演のとき、「人は死へ向かって一歩一歩歩いていくだけである。オギャアと生まれた瞬間から死への旅人なのだ」と話されていました。

どれだけ薬でエイズの発症を遅らせることができるようになっても、死だけはいつか必ず人に発症します。生まれたその瞬間から、だれもが死という病のキャリアであることをしっかりと覚悟するしかない。

それを意識しないから、あるいは意識的に遠ざけようとするから、人生がいつまでもつづくと思ってしまう。それではほんとうの意味での、人生の設計図を作ることができないと思います。

これまで述べてきたように、人生はもともと憂《うれ》いに満ちているし、人間は生まれながらにして病気なのですから、完全なる健康などありえません。

人間は自分が健康であるべきだと考えるのではなく、内側にある病を抱えながら、多岐にわたって絶えず崩壊の過程にあると覚悟して、薄氷を履《ふ》むような気持ちで毎日をすごしていくべきなのだと思います。

ミニマムのところで感謝する

地方に講演にいきますと、ときに古くて小さなビジネスホテルしかないということがあります。部屋に入って、何だか収容所か独房みたいだな、シャワーしかないのかと思うと同時に、「いやいや、開城《ケソン》の難民キャンプにいた頃は、手足も伸ばせなかったな。シーツが敷かれたベッドになんの文句があろうか」と反射的に考える。

何でも最低の条件と比較する癖《くせ》が身についてしまっているのです。一メートル四方で三、四人が足を縮めこみ、他の人の腹に乗って寝るような状態の記憶がすぐさまフラッシュバックしてきて、「あれにくらべれば天国だ」と感じる。

人は忘れる動物だといわれますが、人それぞれに経験した極限状態のトラウマというのはなかなか消えないものです。

収容所での暮らし、貧乏で学費もはらえず自分の血を売っていた大学生のころを通して、もともと自分の要求水準がきわめて低いのかもしれません。それは惨《みじ》めな思い出ではありますが、人生においては便利なところもあり、自分の財産でもあるといえるでしょう。

人はいろんな文句を言うものです。しかし、世の中というのはものすごく不合理で、人間は非条理なものだという感覚は常にもっておいたほうがいい。マイナス思考とは意味合いが違いますが、まずすべてを最低の線から考えた方がいいような気がするのです。

英才教育さえすれば、子どもが天才的なゴルファーになれるわけではありません。そのようになるのは、持って生れた資質、数え切れないほどの理由が重なったほんとうに例外的なケースです。

おそらく大多数は出来の悪い子どもだろうし、たいしたものではない、不良にもなるだろう、ぐらいに思ったほうが間違いありません。むしろ、ふつうの平凡な子に育ってくれただけでも、ほんとうにありがたいと考えなければならないのです。

近年は離婚率がすごく伸びています。結婚というのは赤の他人同士が一緒に暮らすわけですから、それで離婚もせずに子どもにも恵まれたなら、あとはなんとか育ってくれれば充分です。それこそが夢ではないでしょうか。

ぜんそくに悩まされた経験があると、ふつうに息ができることのありがたさがじつによくわかります。私も少し前に足を捻挫《ねんざ》してはじめて、車椅子《くるまいす》用のスロープがどれほどありがたいかよく分かりました。

自分の足で真《ま》っすぐ歩けるときは、何かじゃまだなと思っていたのが、階段を上るのに比べて何と楽なことか。そのように少しずつ体に不便が出てくると、人はより良きものや、小さな「ありがたさ」を感じられるようになっていくわけです
小さくても素朴な善意に接することができたら、躍りあがって喜ぶべきではないかと思うのです。たとえばレストランのウェイトレスというのはとてもハードな仕事ですし、自分にはとてもできないと思うぐらいですが、それでも素晴らしい笑顔で応対してくれる女性がときにいたりします。

ウェイトレスであれ看護婦さんであれ、ハードな労働をしている人から笑顔で応対さ

れたりすると、たとえ職業的な笑顔であっても、つい感動してしまいます。するとその日一日を感激して生きられるような気がして、「ああ、今日はうれしいことがあった」と思えるのです。

キリスト教系の病院に入院した知人が、夜寝られないとナースセンターにコールしたところ、婦長さんが出てきて「コーヒーでも一緒に飲みましょうか」と言って、話し相手になってくれたそうです。

ふつうなら、睡眠薬を出しますから、というだけでしょう。クリスチャンの病院にはそういう一面があるという話を聞いて、キリスト教の人間中心主義に批判的な私も感心しました。たしかにアメリカのような国でも、合理的で冷酷なところと同時に妙に人間的なところがあります。

ふとそういうものに出会うと、地獄に仏、という気がします。先ほど述べたような悲惨な引揚げの中でも、食べ物を分けてくれるような人の優しさや親切はありました。だからこそ私はこうして生きてこられたし、地獄にも仏はいるのだと考えています。

まず最低限から考えてみること、今のような時代には、それはとても大事なことだと思うのです。

私は毎日寝る前に足を洗いながら、「今日一日、とにかくこうして終わった。きょう一日を生きられたことはよかった。ありがたい。明日はもう目が覚めるかどうかわからないのだ」と考えます。そして翌朝また起きられたら、顔を洗いながら、「ああ、目が覚めた。ありがたい。きょう一日何とかして生き延《の》びよう」、そうつぶやいてみるのです。

それを積み重ねていくしかないし、人生はそうやってすぎていくのではないでしょうか。

『かもめのジョナサン』と一本のライ麦

少し前に講演で宇都宮に行ったときのことです。若い寿司職人が『かもめのジョナサン』(新潮文庫)を持ってきて、サインがほしいと頼まれました。「何でお寿司屋さんがこんな本を?」と聞いたら、地方の寿司職人では満足できないので自己啓発セミナーに通っていて、そこのテキストに使われているというのです。

ジョナサンというのは、群れを離れて苦労を重ねながら無限の空間の高みへ飛び去っていく一羽のかもめで、物語は一つの成功譚《せいこうたん》として読まれています。

世に生まれた以上は食べていけるだけで満足する生活ではいけない、より高みをめざせと叱咤《しった》激励《げきれい》するというジョナサンの姿勢は一つの考え方だと思いますし、「なるほど」と思うところもたしかにあります。しかし、翻訳した当初から私自身は、つよい違和感をもっていて、いまだにそういう思考に対してはいささか批判的なのです。

「食べていけるだけ」「生きているだけ」というのは、そんなに価値のないことでしょうか。

前に何度も書いたことですが、アイオワ大学の教授がこんな実験をしました。三十センチ四方、深さ五十六センチの木箱を作り、そこに砂だけ入れて一本のライ麦の苗を植える。水だけで育てて三ヶ月後に箱から取りだして砂をすべて振るい落し、広がっている根の長さを計測してみたところ、根毛の先にある顕微鏡でしか見えないようなものまで全部合わせると、何と一万一二〇〇キロメートルもあったという。

一本のライ麦が砂の中から水だけ吸い上げ、生きつづけるために、シベリヤ鉄道をはるかにこえるくらいの長さの根を張りめぐらせ、その命を支えていた。

そう考えたら、その麦は色がさえないとか、穂が付いていないとか文句を言う気にはなれません。そこには生きつづけるというだけで、ものすごい努力があった。

一本の麦でさえ、それくらいの根を見えないところまで張りめぐらせて必死で生きているということを思えば、私たち人間が今日一日を生きるということは、麦一本にくらべてじつに大きなこの体ですから、どのくらいの根を人間関係に、世の中に、宇宙に張りめぐらせていることか、想像するだけで気が遠くなります。

人間は水も空気も酸素も消費しているうえに、さらに精神的な絆《きずな》も必要、孤独感を癒《いや》すことも必要、喜びも悲しみも必要です。そうやって八方に見えない根を広げて生きている。眠っている間でも免疫の体系は生きつづけて、体の中で働いて心臓を動かし、体を維持しているわけです。

たった一本の麦でも、その大変な命の営《いとな》みの偉大さを思えば、その麦に対してお前は出来が良くないとか、もう少し見ばえがよかったらいいのにとか言えたものではありません。

一日生きるだけでものすごいことをしている。人は生きているだけで偉大なことなのだと思います。その人が貧しくて無名で、生き甲斐がないように思えても、一日、一ヶ月、一年、もし三十年も生きたとすれば、それだけでものすごい重みがあるのです。

いかに生きるかを問わない

人は何のために生きるか、いかに生きるべきか、西洋でも東洋でも、多くの思想家や哲学者がそう問いつづけてきました。

しかし私は、生き方に上下などない、と思うようになりました。

親鸞の考えでは、その人のやることはその人が背負った業《ごう》に左右され、人殺しもすれば善行もするが、それは本人が悪いから、偉いからではないといいます。

私の考えでは、悪人も善人もいるけれども、とりあえず生きているということで、人間は生まれた目的の大半は果たしている。存在する、生存していくこと自体に意味があるのだ、と。

仏教では「人身《にんじん》享け難《がた》し」といって、人間は六度輪廻《りんね》をする中で、人として生まれる確率というのは六分の一しかないと考えます。あらゆる生命の中で考えれば、大海《たいかい》の一《いち》粟《ぞく》を拾うほどに稀《まれ》なことだというのです。

人間として生まれたことに不満はあるかもしれないが、それでも他の動物や植物に生まれるよりは、人として生まれただけでも、じつに稀有《けう》なチャンスを得たということです。

その中には世間的に成功する人もいれば、失敗する人もいるでしょう。しかし、いずれにしても生まれてきて自分の人生を生きたということ、ましてや十年、二十年を生きたなら、それだけですごいことなのです。

ですから三十歳で早逝《そうせい》したといわれても、その人はたいへんなことを成し遂げた、人間としての価値をまっとうしたのだと考えます。

文化大革命を扱った中国映画『芙蓉鎮《ふようちん》』の中で、投獄される主人公が、「豚のように生きぬけ、牛馬となっても生きぬけ」と声をかけられる場面がありました。

私は、人間はそういうものだと思いますし、生きていることの大変さに気がつくと、そこから感謝する気持ち、自分の命を尊敬する気持ちも生まれてくるのではないでしょうか。

自分には友だちもいない、彼女もいない、派遣社員で明日の仕事もはっきりしない、それらが事実であるとしても、だからもうどうでもいい、命なんてくだらない、だれを殺してもいい、とは言えないはずです。

どんなに惨めであっても、生きていることには大した値打ちがある。何の命でも、だれの命でも存在するだけですごいことなのです。

今までは、いかに生きたか、ただ生きているだけでは意味がないではないか、そう言われつづけてきたと思います。しかし、ただ生きているだけで意味がある。

哲学者のようにものを考えなくても、みすぼらしくても生きて存在している、それだけですごいことだと私は思います。上から見るように「如何《いか》に」は問わない。下手くそでもくだらなくても少々いい加減でも、とにかく生きていることはすごい、と自分のことを認めてあげたらいいと思います。

普段は気がつかないだけで、生きるということの大変さに自分で気がつくと、それだけで押しつぶされそうになります。生きているだけでどれほどの努力があり、他力が必要なのか、それを自分自身が納得しなくてはならないのです。

生きているだけで人は値打ちがある、そう感じられなければ、『罪と罰』のように、生きている価値のない人間は殺してもいいのだという発想になっていきます。

生まれて、生きて、老いて死んでいく、それをすべてやるということに価値があるのだと思うのです。

一日一日を感謝して生きる

人が身をよじるような苦しみや悲しみも、結局どこまで行っても他の人に代わってもらうことはできません。全ては自分一人で引き受けなければならないのです。

天気と同じように、時代には晴れも曇りも土砂降りの雨もあります。そして大きな流れとして見れば、今は黄昏《たそがれ》であり、下山する方向で進んでいることを覚悟しなくてはなりません。

戦後六十年を振り返ってみても最悪の時代が、これから「来るぞ、来るぞ」ではなく、今「来てしまった」のです。明けない白夜《びゃくや》のような鬱の時代は十年や二十年で終わることはないでしょう。躁の時代と同じ五十年ぐらいはつづくかもしれません。

歴史を見ればわかるように、時代の流れはそうやって何十年かおきに坂を上ったり下ったりするものです。全てが移り変わっていくなかで、人は「坂の下の雲」を眺め、谷底の地獄を見つめなければならない時がある。だからこそ「覚悟」が要るのです。

キリストもブッダも、そして親鸞も同じようなことを言っていますが、自分の親もきょうだいも、夫婦も子どもも、自分の一部ではない。むしろすべての人々が兄弟、家族であると考える。それは逆に人間は最後は一人という考え方と同じです。

人生は孤独で、憂いに満ちています。あらかじめ失うとわかったものしか愛せません。しかも生まれた時から病気の巣で、十代から老化は始まり、二十歳になったら、人はだれしも死のキャリアなのだと覚悟するべきです。

以前、『うらやましい死にかた』（文春文庫）という本を作ったことがありますが、悪行をたくさん重ねてもうらやましい死に方をする人もいれば、善行を重ねていたのに無残な死に方を迎える人もたくさんいました。

キリスト教のある司祭は、「人生は雑事とともに終わっていく」のだと言いました。教区委員会とか奉仕活動とか、朝から晩まで山のように仕事が積み重なっているのを前にして、信仰の道に生きる人間が死ぬまでこんな雑事を片づけていくだけで終わるのか、となげいている言葉が身にしみます。

神への信仰に生きる人間でさえそうですから、私たちのような俗世間に生きる者が、さらなることはいうまでもありません。

私自身、いくら整理《せいり》整頓《せいとん》について書かれた本を読んで試してみても、よけいに取り散らかして、場所がわからないと大騒ぎしてしまうのです。でも、できないときめて大ざっぱにしていると、自分なりに何となく見つけられるのです。

私の仕事部屋はベッドサイドに本や物が山積みで、つま先立たないと歩けないほどです。何十年来、いつか片づけるのだと思ってきましたが、最近になってようやくあきらめました。これもまた小さな覚悟の一つです。

夜半《よわ》のミミズクみたいに自分の部屋の中を見まわしながら、人は混沌《こんとん》の中で生きている、すっきりと脱出する方法などないのだ、そう考えるようになりました。

それでも、どんなに雑事に追われ、何もなしえず死んでいくのだとしても、大河の中の一滴なのだとしても、人が生きることには壮大な営みがある。

ブッダが「天上天下唯我独尊《てんじょうてんげゆいがどくそん》」と言ったように、自分はだれも代わることができないたった一人の存在だから尊《とうと》いのです。

そのことは、上り坂の時代でも、下り坂の時代でも変わりません。この先が、「地獄」であっても、極楽であっても、です。

生きることの大変さと儚《はかな》さを胸に、この一日一日を感謝して生きていくしかない。

そう覚悟しているのです。

五木寛之　1932（昭和７）年福岡県生まれ。作家。『蒼ざめた馬を見よ』で直木賞、『青春の門　筑豊編』他で吉川英治文学賞。『風に吹かれて』『大河の一滴』『他力』など著書多数。02年に菊池寛賞。

Ⓢ新潮新書

287

人間《にんげん》の覚悟《かくご》

著　者　五木寛之《いつきひろゆき》

2008年11月20日　発行
2022年３月25日　11刷

発行者　佐　藤　隆　信

発行所　株式会社新潮社

〒162-8711　東京都新宿区矢来町71番地
編集部(03)3266-5430　読者係(03)3266-5111
http://www.shinchosha.co.jp

印刷所　錦明印刷株式会社
製本所　錦明印刷株式会社

ISBN978-4-10-610287-5　C0210